Nouvelles britanniques classiques

Classic British Short Stories

Les langues pour tous

Collection dirigée par Jean-Pierre Berman,
Michel Marcheteau et Michel Savio

ANGLAIS Série bilingue

Niveaux : ❑ facile (B₁) ❑❑ moyen (B₂) ❑❑❑ avancé (C₁)

Littérature anglaise et irlandaise

- **Carroll (Lewis)** ❑
  Alice in Wonderland
- **Conan Doyle** ❑
  Nouvelles (4 volumes)
- **Fleming (Ian)** ❑❑
  James Bond en embuscade
- **Greene (Graham)** ❑❑
  Nouvelles
- **Jerome K. Jerome** ❑❑
  Three men in a boat
- **Mansfield (Katherine)** ❑❑❑
  Nouvelles
- **Masterton (Graham)** ❑❑
  Grief - The Heart of Helen Day
- **Wilde (Oscar)**
  Nouvelles ❑
  The Importance of being
  Earnest ❑❑
- **Wodehouse P.G.**
  Nouvelles ❑❑

Littérature américaine

- **Bradbury (Ray)** ❑❑
  Nouvelles
- **Chandler (Raymond)** ❑❑
  Trouble is my business
- **Columbo** ❑
  Aux premières lueurs de l'aube
- **George (Elizabeth)** ❑❑
  Trouble de voisinage
- **Hammett (Dashiell)** ❑❑
  Murders in Chinatown
- **Highsmith (Patricia)** ❑❑
  Nouvelles
- **Hitchcock (Alfred)** ❑❑
  Nouvelles
- **King (Stephen)** ❑❑
  Nouvelles
- **James (Henry)** ❑❑❑
  The Turn of the Screw
- **London (Jack)** ❑❑
  Nouvelles
- **Fitzgerald (Scott)** ❑❑❑
  Nouvelles

Ouvrages thématiques

- **L'humour anglo-saxon** ❑
- **L'anglais par les chansons** ❑
  (+ ⊙)
- **Science fiction** ❑❑

Anthologies

- **Nouvelles US/GB** ❑❑ (2 vol.)
- **Les grands maîtres
  du fantastique** ❑❑
- **Nouvelles américaines
  classiques** ❑❑

Autres langues disponibles dans les séries de la collection
Langues pour tous

ALLEMAND - AMÉRICAIN - ARABE - CHINOIS - ESPAGNOL - FRANÇAIS - GREC - HÉBREU
ITALIEN - JAPONAIS - LATIN - NÉERLANDAIS - OCCITAN - POLONAIS - PORTUGAIS
RUSSE - TCHÈQUE - TURC - VIETNAMIEN

Nouvelles britanniques classiques

Classic British Short Stories

Présentation, traduction et notes
par

Dominique LESCANNE
Professeur agrégé d'anglais
Responsable des langues
UFR Infocom
Université de Lille 3

© 2008 – Pochet – Langues pour Tous,
Département d'Univers Poche, pour la traduction,
les notices biographiques et les notes
ISBN : 978-2-266-17864-8

Sommaire

Prononciation

Sons voyelles

[ɪ] **pit**, un peu comme
le *i* de *site*
[æ] **flat**, un peu comme
le *a* de *patte*
[ɒ] ou [ɔ] **not**, un peu comme
le *o* de *botte*
[ʊ] ou [u] **put**, un peu comme
le *ou* de *coup*
[e] **lend**, un peu comme
le *è* de *très*
[ʌ] **but**, entre le *a* de
patte et le *eu* de *neuf*
[ə] jamais accentué, un peu
comme le *e* de *le*

Voyelles longues

[i:] **meet**, [mi:t] cf. *i*
de *mie*
[ɑ:] **farm**, [fɑ:m] cf. *a*
de *larme*
[ɔ:] **board**, [bɔ:d] cf. *o*
de *gorge*
[u:] **cool**, [ku:l] cf. *ou*
de *mou*
[ɜ:] ou [ə:] **firm**, [fə:m]
cf *e* de *peur*

Semi-voyelle

[j] **due**, [dju:],
un peu comme *diou...*

Diphtongues (voyelles doubles)

[aɪ] **my**, [maɪ], cf. *aïe !*
[ɔɪ] **boy**, cf. *oyez !*
[eɪ] **blame**, [bleɪm], cf. *eille*
dans *bouteille*
[aʊ] **now**, [naʊ] cf. *aou* dans

[əʊ] ou [əu] **no**, [nəʊ], cf. *e*
+ *ou*
[ɪə], **here**, [hɪə], cf. *i* + *e*
[eə] **dare** [deə], cf. *é* + *e*
[ʊə] ou [uə] **tour**, [tʊə],
cf. *caoutchouc ou* + *e*

Consonnes

[θ] **thin**, [θɪn], cf. *s* sifflé
(langue entre les dents)
[ð] **that**, [ðæt], cf. *z* zézayé
(langue entre les dents)
[ʃ] **she**, [ʃi:], cf. *ch* de *chute*

[ŋ] **bring**, [brɪŋ], cf. *ng*
dans *ping-pong*
[ʒ] **measure**, [ˈmeʒə], cf. le
j de *jeu*
[h] le *h* se prononce ; il est
nettement <u>expiré</u>

Accentuation

ˈ – accent unique ou principal, comme dans MOTHER [ˈmʌðə]
ˌ – accent secondaire, comme dans PHOTOGRAPHIC [ˌfəutɔˈgræfɪk]

* indique que le r, normalement muet, est prononcé en liaison ou en américain

Comment utiliser la série « Bilingue » ?

La série bilingue anglais/français permet aux lecteurs :
• d'avoir accès aux versions originales de nouvelles célèbres en anglais, et d'en apprécier, dans les détails, la forme et le fond ;
• d'améliorer leur connaissance de l'anglais, en particulier dans le domaine du vocabulaire dont l'acquisition est facilitée par l'intérêt même du récit, et le fait que mots et expressions apparaissent en situation dans un contexte, ce qui aide à bien cerner leur sens.

Cette série constitue donc une véritable méthode d'auto-enseignement, dont le contenu est le suivant :
• page de gauche, le texte anglais ;
• page de droite, la traduction française ;
• bas des pages de gauche et de droite, une série de notes explicatives (vocabulaire, grammaire, etc.).

Les notes de bas de page aident le lecteur à distinguer les mots et expressions idiomatiques d'un usage courant et qu'il lui faut mémoriser, de ce qui peut être trop exclusivement lié aux événements et à l'art de l'auteur.

Il est conseillé au lecteur de lire d'abord l'anglais, de se reporter aux notes et de ne passer qu'ensuite à la traduction ; sauf, bien entendu, s'il éprouve de trop grandes difficultés à suivre le récit dans ses détails, auquel cas il lui faut se concentrer davantage sur la traduction, pour revenir finalement au texte anglais, en s'assurant bien qu'il en a maintenant maîtrisé le sens.

Dans les premières pages du présent recueil, la traduction suit volontairement de près le texte anglais afin, par son parallélisme, de bien en éclairer la structure. Cela peut entraîner certaines lourdeurs, et des traductions plus élégantes sont alors suggérées en note. Proressivement, la traduction deviendra de moins en moins littérale (le « mot à mot » étant alors éventuellement donné en note).

Introduction

C'est au début du XIXᵉ siècle, dans le sillage du déve-loppement du roman, que la nouvelle émergea comme un genre à part entière. Il est bien sûr difficile de savoir ce qui distingue une nouvelle d'un roman. Est-ce que **Heart of Darkness** de **Joseph Conrad** est une longue nouvelle ou un court roman ?

Les Anglais ont inventé le terme de **novella** pour définir une telle œuvre et l'appliquent, par exemple à **Animal Farm** de **George Orwell** ou à **The Pearl** et **Of Mice and Men** de **Steinbeck** ou encore **The Old Man and the Sea** d'**Hemingway**. Ils utilisent donc le terme de **short story** pour des textes plus courts comme ceux qui figurent dans ce recueil.

Dans **The Philosophy of Composition** (1846) **Edgar Poe**, maître du genre, tente de donner une définition de la **short story** en la présentant comme une œuvre de fiction que l'on peut aisément lire d'un trait. Certains critiques contemporains de langue anglaise appellent **short story** une histoire qui a entre 1000 et 20 000 mots et **novella** un texte de 20 à 100 000 mots. La brièveté contraint généra-lement à réduire le nombre de personnages et à se limiter à un événement, un temps et un lieu uniques.

Les cinq nouvelles que nous avons réunis ici sont des grands classiques de la littérature anglaise, publiés entre 1866 et 1914. Elles furent écrites par des écrivains qui comptent parmi les plus grands prosa-teurs anglais de l'époque.

Charles Dickens (1812-1870) est la référence du roman réaliste du XIXᵉ siècle. Il est difficile de trouver meilleur conteur et meilleur peintre de l'Angleterre victorienne.

Joseph Conrad (1857-1924) est un virtuose de la langue anglaise, qu'il apprit pourtant à l'âge adulte, et renouvelle par ses thèmes et son écriture, l'art du roman comme le fera, pour la génération suivante, **D.H. Lawrence** (1885-1930), qui ouvre, lui-aussi, une nouvelle phase du roman anglais.

Si **Dickens**, **Conrad** et **Lawrence** maîtrisent aussi parfaitement l'art de la nouvelle que celui du roman, ce n'est pas le cas de **Rudyard Kipling** (1865-1936) et de **Saki** (1870-1916).

Les romans de **Kipling** ont, à notre avis, beaucoup moins d'intérêt que ses nouvelles, que les adultes peuvent apprécier autant que les enfants. Quant à **Saki** c'est grâce ses nouvelles qu'il est passé à la postérité et bénéficie aujourd'hui d'un regain d'intérêt.

Pour en savoir plus sur ces auteurs et les replacer dans l'histoire de la littérature anglaise, nous renvoyons le lecteur à notre ouvrage La Littérature Britannique publié dans la même collection.

Nous espérons que le lecteur se rendra compte qu'en quelques pages ces auteurs parviennent à le faire voyager et à le faire penser, à lui donner des émotions et matière à réflexion. Il y trouvera des fantômes et un animal qui parle mais aussi de l'inquiétude, de la douleur, de l'amour, de l'exotisme, de la sagesse, de l'ironie et de l'humour.

Nous nous proposons de le guider dans cette exploration en lui permettant, par notre traduction et nos notes, de goûter les textes originaux et d!en apprécier toutes les subtilités.

Les nouvelles de ce recueil sont accessibles aux personnes ayant un niveau de compréhension écrite correspondant au niveau B_2 du *Code européen commun de référence* pour l'enseignement en langues.

La nouvelle de Conrad est celle dont le niveau de difficulté est le plus élevé et peut amener le lecteur à atteindre le niveau C_1 du Cadre de référence.

D.L.

Biographie

Dominique LESCANNE est Professeur Agrégé d'Anglais et Responsable des Langues et des Relations Internationales à l'U.F.R. INFOCOM de l'Université de LILLE 3.

Il a publié dans la même collection :
- Pratiquez l'anglais britannique en 40 leçons (avec Christopher Mason) 1986, nouvelle édition 1999.
- Nouvelles de Francis Scott Fitzgerald (introduction, traduction et notes) 1988, nouvelle édition 2003.
- Trois hommes dans un bateau (extraits) de Jerôme K Jerôme (introduction, traduction et notes) 1990, nouvelle édition 2003.
- Réussir l'anglais au Bac (écrit et oral), 1993.
- La Littérature Britannique, 2004.
- La Littérature Américaine, 2004.

Dans la série "Version Originale" :
- Tales of Soldiers d'Ambrose Bierce, 2006.
- The Expelled / The Old Tune de Samuel Beckett, 2006.
- Great Soliloquies de William Shakespeare, 2007.

Charles Dickens
(1812-1870)

Né à Portsmouth le 7 février 1812 **Charles Dickens** est sûrement le romancier anglais le plus connu et le plus populaire. Ses histoires et ses personnages passionnent encore les lecteurs de nos jours et les adaptations de ses œuvres à l'écran rencontrent toujours autant de succès. Cela est, sans doute, dû au fait que, comme Shakespeare à son époque, **Dickens** savait s'adresser à tous les publics. Ses grands romans comme *Oliver Twist* ou *David Copperfield* furent d'abord publiés en feuilletons et les lecteurs victoriens attendaient chaque nouveau chapitre comme les téléspectateurs d'aujourd'hui attendent chaque nouvel épisode de certaines séries américaines. Il mourut dans sa maison de Rochester (Kent) le 9 juin 1870, riche et célèbre et fut enterré à l'abbaye de Westminster. Il condamne l'exploitation et la misère du peuple dans l'Angleterre industrielle du XIXe siècle et ses œuvres, écrites avec humour et remplies de personnages inoubliables, sont d'extraordinaires tableaux de la vie quotidienne.

Bien que ses œuvres majeures soient de longs romans avec de nombreux rebondissements **Dickens** maîtrise parfaitement la forme de la nouvelle et du conte. Le plus célèbre de ses "contes de Noël" est *Un Chant de Noël* (*A Christmas Carol*) qui est une histoire de fantômes (**ghost story**). C'est aussi le cas de la nouvelle qui suit, et qui parut dans le numéro de Noël 1866 de son hebdomadaire *All the Year Round*, en tant que chapitre de *L'Embranche-ment de Mugby* (*Mugby Junction*). Le titre de cette nouvelle fait référence à l'embranchement de Rugby, nœud ferroviaire important entre le chemin de fer du Nord-Ouest et le celui des Midlands. Ce lieu sert de métaphore à l'entre-croisement d'histoires dont le début peut être également une fin.

The Signal-Man fut ensuite fréquemment ré-imprimée, souvent dans des éditions reliées des Contes de Noël. L'histoire fut illustrée à l'origine par Clarkson Stanfield, vieil ami de **Dickens**.

Le signaleur est hanté par un fantôme qui lui envoie un premier avertissement pour le prévenir d'une catastrophe ferroviaire puis un deuxième qui précéde la mort mystérieuse d'une jeune femme dans un train. Le troisième et dernier avertissement sera la prémonition de la propre mort du signaleur sur la ligne.

Il est bon de rappeler que **Dickens** avait 13 ans quand la "*locomotion*" de Stephenson fut utilisée pour la première fois le 27 septembre 1825 entre Stockton et Darlington dans le Nord Est de l'Angleterre et 18 ans quand, en 1830, fut créée entre Manchester et Liverpool la première ligne de chemin de fer moderne. Le réseau se développa vraiment à partir de 1840, quand le gouvernement créa un corps d'inspecteurs pour contrôler la sécurité des voies et des machines et rassurer une partie de l'opinion publique qui voyait dans les locomotives à vapeur des machines infernales et était effrayée par les accidents qui se produisaient encore assez régulièrement. Il est d'ailleurs probable que le terrible accident qui eut lieu en 1861 dans le tunnel de Clayton, et que les lecteurs de l'époque avaient encore à l'esprit, ait inspiré **Dickens**.

La locomotive à vapeur est le symbole même de la révolution industrielle qui, à partir de 1850, s'accélère et s'étend à toute l'Europe. Elle est la promesse de progrès fulgurants mais génère aussi une classe laborieuse exploitée et misérable. **Dickens** décrit la situation désastreuse des enfants dans *Oliver Twist* et *David Copperfield* et dresse un tableau saisissant du prolétariat industriel dans *Hard Times* (*Les Temps Difficiles*), publié en 1854.

Les avertissements du fantôme peuvent être interprétés comme des mises en garde contre les dangers du machinisme et l'isolement du signaleur, immobilisé à son poste et confiné dans la tranchée comme une représentation de la solitude et de l'aliénation des prolétaires, les "damnés de la terre" qui voient la société pré-industrielle comme un paradis définitivement perdu.

Signalons qu'en 1976 la BBC a adapté l'histoire pour réaliser un téléfilm qui fut tourné dans la vallée de la Severn à proximité du tunnel de Kidderminster.

THE SIGNAL MAN[1]
LE SIGNALEUR (1866)

(Publié dans *ALL THE YEAR ROUND* Noêl 1866)

---

1. **signalman**: *garde-voie chargé des signaux.*

"Halloa! Below[1] there!"

When he heard a voice thus calling to him, he was standing at the door of his box[2], with a flag in his hand, furled round its short pole. One would have thought, considering the nature of the ground, that he could not have doubted from what quarter[3] the voice came; but instead of looking up to where I stood on the top of the steep cutting[4] nearly over his head, he turned himself about, and looked down the Line. There was something remarkable in his manner of doing so, though I could not have said for my life[5] what. But I know it was remarkable enough to attract my notice, even though his figure[6] was foreshortened[7] and shadowed, down in the deep trench, and mine was high above him, so steeped in the glow of an angry sunset, that I had shaded my eyes with my hand before I saw him at all.

"Halloa! Below!"

From looking down the Line, he turned himself about again, and, raising his eyes, saw my figure high above him.

"Is there any path by which I can come down and speak to you?"

He looked up at me without replying, and I looked down at him without pressing[8] him too soon[9] with a repetition of my idle[10] question. Just then there came a vague vibration in the earth and air, quickly changing into a violent pulsation, and an oncoming[11] rush that caused me to start[12] back, as though it had force to draw me down[13].

---

1. **below**: *en dessous*.

2. Il s'agit du *poste à signaux* (**signal-box**).

3. **quarter**: *point cardinal*.

4. Une tranchée profonde a été creusée pour construire la voie ferrée.

5. **for my life**: *pour rien au monde*.

6. **figure**: silhouette. "*figure*" se dit '**face**'

7. la silhouette paraît "raccourcie" (**foreshortened**) par la distance.

– Hep ,là-bas !

Quand il entendit une voix l'appeler ainsi, il était à la porte de sa guérite, debout, avec, à la main, un petit drapeau enroulé sur son mât.. On aurait cru, étant donné la nature du terrain, qu'il aurait pu identifier d'où venait la voix; mais au lieu de lever les yeux vers moi, qui étais en haut de la tranchée abrupte, presque au dessus de sa tête, il se retourna et regarda la voie ferrée. Il y avait quelque chose d'étrange dans sa façon de faire, bien que je n'eusse absolument pas pu dire quoi. Mais je sais que c'était suffisamment étrange pour attirer mon attention, même si, au fond de cette tranchée profonde, et sombre il était réduit à une petite silhouette alors que moi, qui étais bien au dessus de lui, j'avais dû , pour ne pas être ébloui par la lumière rougeoyante du soleil couchant, me protéger les yeux pour l'apercevoir.

– Hep, là-bas !

Il quitta la voie des yeux, se retourna à nouveau et, en levant la tête m'aperçut au dessus de lui.

– Y-a-t-il un sentier qui puisse me permettre de descendre vous parler ?

Il me regarda sans répondre mais je ne voulais pas me montrer trop insistant en répétant trop vite ma question. C'est alors qu'une faible vibration de la terre et de l'air se transforma brusquement en une pulsation violente et un fracas impétueux qui me fit faire un saut en arrière comme si je risquais d' être aspiré par cette force

---

8. **press** a ici le sens d'*insister*.

9. **soon** = **quickly**: *vite*.

10. **idle** n'a pas ici le sens habituel de *oisif*, mais celui de *futile, sans fondement*.

11. **oncoming**: *venant en sens inverse*.

12. **start** signifie ici *sursauter, tressaillir* et **back** indique un mouvement vers l'arrière.

13. lit : *me tirer vers le bas*

When such vapour as rose to my height from this rapid train had passed me, and was skimming[1] away over the landscape, I looked down again, and saw him refurling[2] the flag he had shown while the train went by[3].

I repeated my inquiry. After a pause, during which he seemed to regard me with fixed attention, he motioned with his rolled-up flag towards a point on my level, some two or three hundred yards distant. I called down to him, "All right!" and made for[4] that point. There, by dint of[5] looking closely about me, I found a rough[6] zigzag descending path notched out, which I followed.

The cutting was extremely deep, and unusually precipitate. It was made through a clammy[7] stone, that became oozier[8] and wetter as I went down. For these reasons, I found the way long enough to give me time to recall a singular air of reluctance[9] or compulsion[10] with which he had pointed out the path.

When I came down low enough upon the zigzag descent to see him again, I saw that he was standing between the rails on the way by which the train had lately passed, in an attitude as if he were[11] waiting for me to appear. He had his left hand at his chin, and that left elbow rested on his right hand, crossed over his breast. His attitude was one of such expectation and watchfulness[12] that I stopped a moment, wondering at it.

---

1. **to skim**: *effleurer, raser*. La fumée du train a effleuré le narrateur et s''est éloignée en couvrant le paysage.

2. **furl** s'utilise pour un drapeau ou un parapluie.

3. **by** est un adverbe qui, comme **along** et **past**, indique un mouvement par rapport à un point fixe.

4. **to make for**: *se diriger vers*.

5. **by dint of** (*à force de*) est toujours suivi d'un verbe au gérondif.

6. **rough** : *accidenté*.

Quand la vapeur de ce rapide, qui s'était élevée jusqu'à moi, s'éloigna et se dissipa dans le paysage, je baissai à nouveau les yeux et le vis replier le fanion qu'il avait levé au passage du train.

Je lui reposai ma question. Après un instant de silence, pendant lequel il parut me scruter du regard, il pointa son drapeau vers le haut pour indiquer un endroit qui se trouvait à deux ou trois cents mètres de moi. Je lui criai

– D'accord ! et m'y rendis. Là, il me fallut inspecter les lieux attentivement pour trouver un vague sentier pentu qui descendait en zigzag. Je le pris.

La tranchée était très profonde, et extêmement escarpée. On avait dû la creuser dans une roche poreuse qui, au fur et à mesure de ma descente, devenait de plus en plus humide. C'est pour cela que le chemin m'a semblé suffisamment long pour me donner le temps de me rendre compte que c'était avec réticence et parce qu'il ne pouvait pas faire autrement qu'il m'avait montré le chemin.

Quand je fus parvenu assez bas sur le sentier pour qu'il m'apparaisse à nouveau, je vis qu'il était au milieu de la voie sur laquelle le train venait de passer, comme s'il attendait mon arrivée. L'avant bras droit en travers de la poitrine, il se tenait le menton de la main gauche, le coude gauche posé sur la main droite. Il avait l'air de m'attendre avec tant d'impatience et de sérieux que je m'arrêtai un instant, interloqué.

---

7. cf **clammy hands** : *mains moites.*
8. cf: **to ooze** : *suinter.*
9. cf: **to be reluctant to do sth**: *rechigner à faire qch.*
10. cf: **compulsory** : *obligatoire.*
11. **were** souligne l'aspect hypothétique de l'interprétation.
12. **watchfulness**: *la vigilance.*

I resumed[1] my downward way, and stepping out upon the level of the railroad, and drawing nearer to him, saw that he was a dark sallow man, with a dark beard and rather heavy eyebrows. His post was in as solitary and dismal a place as[2] ever I saw. On either side, a dripping-wet wall of jagged[3] stone, excluding all view but a strip of sky; the perspective one way only a crooked[4] prolongation of this great dungeon[5]; the shorter perspective in the other direction terminating in a gloomy[6] red light, and the gloomier entrance to a black tunnel, in whose massive architecture there was a barbarous, depressing, and forbidding[7] air. So little sunlight ever found its way to this spot, that it had an earthy, deadly[8] smell; and so much cold wind rushed through it, that it struck chill[9] to me, as if I had left the natural world.

Before he stirred, I was near enough to him to have touched him. Not even then removing his eyes from mine, he stepped back one step, and lifted his hand.

This was a lonesome[10] post to occupy (I said), and it had riveted my attention when I looked down from up yonder[11]. A visitor was a rarity, I should suppose; not an unwelcome rarity, I hoped? In me, he merely[12] saw a man who had been shut up within narrow limits all his life, and who, being at last set free, had a newly-awakened interest in these great works. To such purpose I spoke to him; but I am far from sure of the terms I used;

---

1. **to resume**: *reprendre*. Attention : résumer se dit **to sum up**.

2. Notez la construction : AS + ADJ. + A + NOM + AS.

3. **jagged** (*déchiqueté*) s'utilise souvent pour décrire une côte découpée).

4. **crooked**: *tortueux, tordu*.

5. **dungeon**: *cachot* (souterrain).

6. La lumière rouge lugubre (**gloomy**) annonce l'entrée d'un tunnel encore plus lugubre (**gloomier**).

Je repris ma descente, et, arrivé en bas, en m'approchant de lui, je vis que c'était un homme à la peau sombre, au teint cireux, avec une barbe noire et d'épais sourcils. Il était en poste à l'endroit le plus isolé et lugubre que je puisse imaginer. De chaque côté, les parois de pierre suintaient d'humidité et ne laissaient entrevoir qu'une bande de ciel. La vue qui s'offrait était, d'une part, le prolongement sinueux de ce grand cachot et, d'autre part, à moindre distance et annoncée par une sinistre lumière rouge, l'entrée plus effrayante encore d'un tunnel noir, d'architecture massive, rempli d'un air vicié et délétère. Le soleil arrivait si rarement à cet endroit que cela sentait la boue et le moisi ; et le vent froid s'y engouffrait si souvent qu' un frisson me glaça, comme si j'avais franchi les portes de l'au-delà.

Il n'eut pas le temps de bouger que j'étais à ses côtés. Sans même me quitter des yeux, il fit un pas en arrière, et leva la main.

Je m'étais dit qu'il occupait là un poste de rare solitude et, c'est ce qui m'avait poussé à descendre voir de plus près. Ce n'était pas tous jours qu'il avait de la visite, probablement ; enfin, j'espérais bien ne pas l'importuner. En moi il ne devait voir qu'un homme qui avait passé sa vie enfermé et qui, se mettait, sur le tard, à découvrir le monde qui l'entourait. C'est du moins ce que je voulais lui dire, bien que je ne me souvinsse pas des termes exacts que j'utilisais.

---

7. **forbidding**: *inhospitalier*.
9. **deadly**: *mortel*.
10. **chill**: *la froideur*.
11. **lonesome**: *solitaire*.
12. **yonder** (adverbe): *là*.
13. **merely** = **simply**.

for, besides that I am not happy in opening any conversation, there was something in the man that daunted[1] me.

He directed a most curious look towards the red light near the tunnel's[2] mouth, and looked all about it, as if something were missing from it, and then looked it me.

That light was part of his charge? Was it not?

He answered in a low voice,--"Don't you know it is?"

The monstrous thought came into my mind, as I perused[3] the fixed eyes and the saturnine[4] face, that this was a spirit, not a man. I have speculated since, whether there may have been infection in his mind.

In my turn, I stepped back. But in making the action, I detected in his eyes some latent fear of me. This put the monstrous thought to flight[5].

"You look at me," I said, forcing a smile, "as if you had a dread[6] of me."

"I was doubtful," he returned, "whether I had seen you before."

"Where?"

He pointed to the red light he had looked at.

"There?" I said.

Intently[7] watchful of me, he replied (but without sound), "Yes."

"My good fellow, what should I do there? However, be that as it may, I never[8] was there, you may swear.""I think I may," he rejoined. "Yes; I am sure I may."

---

1. **to daunt** [dɔːnt]: *décourager*.

2. Notez l'utilisation inhabituelle du 'cas possessif' avec le mot **tunnel** tend à personnifier celui-ci On trouve par ailleurs "**the mouth of the tunnel**".

3. **to peruse** donne l'idée de regarder très attentivement.

4. **saturnine**: *ténébreux*.

5. **to put to flight**: *mettre en fuite*.

Car, outre le fait que je n'aime guère entamer la conversation, il y avait chez cet homme quelque chose qui me mettait mal à l'aise.

Il lança un regard des plus étranges à la lumière rouge qui se trouvait à l'entrée du tunnel, et le promena aux alentours, comme si il manquait quelque chose, puis il ramena les yeux vers moi.

Cette lumière, il en était responsable ? Non ?

Il répondit à voix basse : Vous l'ignoriez ?

En observant ce regard fixe et ce visage ténébreux, une pensée monstrueuse me traversa l'esprit : ce que j'avais devant moi n'était pas un homme mais un fantôme. Je me suis, depuis lors, demandé si son esprit n'avait pas été contaminé.

A mon tour, je reculai. Mais, en faisant cela, je vis, à ses yeux, qu'il avait peur de moi. Cela suffit à dissiper cette pensée monstrueuse.

– Vous me regardez comme si je vous faisais peur, dis-je, en m'efforçant de sourire.

– Je me demandais si je ne vous avais pas déjà vu, répondit-il.

– Où ?

Il montra la lumière rouge qu'il avait inspectée.

– Là ?

En m'observant attentivement, il acquiesca sans dire mot.

– Mon cher, qu'est-ce que je serais venu faire là ? En tout cas, quoiqu'il en soit, vous vous trompez, c'est certain.

– Oui, peut-être... enfin, sûrement, répliqua-t-il.

---

6. **dread** (*terreur, effroi*) est généralement indénombrable et donc rarement utilisié avec un article indéfini.

7. **intently**: *intensément*.

8. les adverbes de fréquence sont normalement placés devant le verbe mais après un auxiliaire. Ici sa place devant **was** est une forme d'insistance.

His manner cleared[1], like my own. He replied to my remarks with readiness[2], and in well-chosen words. Had he much to do there? Yes; that was to say, he had enough responsibility to bear; but exactness and watchfulness were what was required of him, and of actual[3] work-- manual labour--he had next to none[4]. To change that signal, to trim[5] those lights, and to turn this iron handle now and then[6], was all he had to do under that head[7]. Regarding those many long and lonely hours of which I seemed to make so much, he could only say that the routine of his life had shaped itself into that form, and he had grown used to it[8]. He had taught himself a language down here,--if only to know it by sight, and to have formed his own crude[9] ideas of its pronunciation, could be called learning it. He had also worked at fractions and decimals, and tried a little algebra; but he was, and had been as a boy, a poor hand at figures. Was it necessary for him when on duty always to remain in that channel of damp[10] air, and could he never rise into the sunshine from between those high stone walls? Why, that depended upon times and circumstances. Under some conditions there would be less upon the Line than under others, and the same held good[11] as to certain hours of the day and night. In bright weather, he did[12] choose occasions for getting a little above these lower shadows; but, being at all times liable to be called by his electric bell, and at such times listening for it with redoubled anxiety, the relief was less than I would suppose.

---

1. **to clear** = to become free from doubt, misunderstanding, anxiety etc.

2. **readiness**: *empressement*.

3. **actual** = **real**.

4. **none** = **no manual labour**.

5. **to trim** qui a le sens de *tailler* (une haie, par exemple), s'applique aux chandelles qu'il faut "moucher".

6. **now and then** = **from time to time**.

Il se montra plus confiant, moi aussi. Il ne fit aucune difficulté à répondre clairement à mes questions. Est-ce qu'il avait du travail ? Oui ; c'est à dire qu'il avait pas mal de responsabilités ; mais ce que l'on exigeait de lui c'était avant tout de l'exactitude et de la vigilance, quant au travail en lui-même, le travail manuel, il n'en avait pratiquement pas. Changer le signal, entretenir les lampes et manipuler ce levier métallique de temps en temps c'était là tout ce qui lui incombait. En ce qui concernait ces longues heures de solitude dont je semblais faire tant de cas, ce n'était finalement pour lui que des habitudes de vie qu'il avait prises. Elles lui avaient permis d'apprendre une langue étrangère, si l' on admettait qu'on savait une langue quand on parvenait à la lire mais pas à la parler. Il avait aussi travaillé sur les fractions et les décimales, et s'était mis un peu à l'algèbre ; mais il était ,et avait toujours été, mauvais en calcul.

Quand il était de service, est-ce qu'il devait toujours rester dans ce courant d'air glacial ou est-ce qu'il arrivait parfois à grimper au soleil ? Eh bien, ça dépendait des moments et des circonstances. Il y avait des moments où il était plus tranquille, et cela dépendait aussi des heures, si c'était le jour ou la nuit. Quand il faisait beau, il parvenait à sortir de sa tranchée mais, comme il devait toujours être aux aguets au cas où la sonnette retentirait il était constamment sur le qui-vive et ne profitait guère de ce qui était, pour moi, des instants de répit.

---

7. **under that head**: *à ce titre.*
8. = **got used to it.**
9. **crude**: *rudimentaire.*
10. **damp** donne l'idée à la fois d'humidité et de froid.
11. **to hold good**: *être valable.*
12. Notez la forme emphatique **he did choose** *il choisit vraiment.*

He took me into his box, where there was a fire, a desk for an official book in which he had to make certain entries, a telegraphic instrument with its dial, face[1], and needles, and the little bell of which he had spoken. On my trusting[2] that he would excuse the remark that he had been well educated, and (I hoped I might say without offence) perhaps educated above that station, he observed that instances of slight incongruity[3] in such wise would rarely be found wanting among large bodies of men; that he had heard it was so in workhouses[4], in the police force, even in that last desperate resource, the army[5]; and that he knew it was so, more or less, in any great railway staff. He had been, when young (if I could believe it, sitting in that hut,--he scarcely[6] could), a student of natural philosophy, and had attended lectures; but he had run wild, misused his opportunities, gone down, and never risen again. He had no complaint to offer about that. He had made his bed[7], and he lay upon it. It was far too late to make another.

All that I have here condensed he said in a quiet manner, with his grave dark regards divided between me and the fire. He threw in the word, "Sir," from time to time, and especially when he referred to his youth,-- as though to request me to understand that he claimed to be nothing but what I found him. He was several times interrupted by the little bell, and had to read off[8] messages, and send replies. Once he had to stand without the door, and display [9] a flag as a train passed, and make some verbal communication to the driver.

---

1. **face**: *cadran.*

2. **to trust**: *pouvoir compter sur, avoir confiance en.*

3. m. à m. : "que les exemples de légères incongruités de ce type ne manquaient pas chez nombre d'hommes".

4. Les **workhouses** étaient à l'époque victorienne des lieux où l'on rassemblait les nécéssiteux.

Il me fit entrer dans son poste, où il y avait un feu et, sur le bureau un registre qu'il devait devait tenir régulièrement à jour, un appareil télégraphique avec un cadran, des aiguilles et la petite sonnette dont il avait parlé. J'espérais qu'il me pardonnerait si je lui disais qu'il était instruit, et, ceci dit sans vouloir l'offenser, peut-être même trop instruit eu égard au poste qu'il occupait mais il me fit remarquer qu'il n'y avait là rien de bien extraordinaire. Il avait entendu dire que l'on trouvait des gens comme lui dans les asiles, dans la police et même dans ce tout dernier recours qu'était l'armée ; et il savait, du moins, que son cas était courant dans la plupart des services des chemins de fer. Quand il était jeune il avait fait des études de philosophie et cela lui paraissait aujourd'hui plus incongru à lui-même qu'à moi, qui le voyais là assis dans cette cabane. Mais il avait fait les quatre cents coups et tout gâché, ce qui l'avait fait déchoir socialement. Ce déclassement ne l'avait cependant pas rendu amer. Quand le vin était tiré il fallait le boire. On ne pouvait pas refaire l'histoire.

Tout ce que j'ai ici condensé, il me l'a dit calmement, en jetant des regards sombres tantôt vers moi tantôt vers le feu. Il me donna du 'monsieur', de temps en temps, en particulier quand il faisait référence à sa jeunesse – comme pour me demander de comprendre qu'il n'essayait pas de passer pour ce qu'il n'était pas. Il fut interrompu plusieurs fois par la petite sonnette et dut prendre connaissance de tous les messages et y répondre. Il dut aussi sortir, lever un drapeau au passage d'un train et échanger quelques mots avec le conducteur.

---

5. Notez le commentaire très ironique que Dickens fait de l'armée.

6. **scarcely** = **barely**: *à peine*.

7. **to make one's bed** = **to be responsible for one's own actions and results**. cf. : *You've made your bed – now lie in it*.

8. **to read off**: *lire d'un trait*.

9. **to display** = **to unfurl** (**flag**): *déployer*.

In the discharge[1] of his duties, I observed him to be remarkably exact and vigilant, breaking off his discourse at a syllable, and remaining silent until what he had to do was done.

In a word, I should have set this man down[2] as one of the safest of men to be employed in that capacity, but[3] for the circumstance that while he was speaking to me he twice broke off with a fallen colour, turned his face towards the little bell when it did NOT ring, opened the door of the hut (which was kept shut to exclude the unhealthy damp), and looked out towards the red light near the mouth of the tunnel. On both of those occasions, he came back to the fire with the inexplicable air upon him which I had remarked, without being able to define, when we were so far asunder[4].

Said I, when I rose to leave him, "You almost make me think that I have met with a contented[5] man."

(I am afraid I must acknowledge[6] that I said it to lead him on[7].)

"I believe I used to be so," he rejoined[8], in the low voice in which he had first spoken; "but I am troubled, sir, I am troubled."

He would have recalled[9] the words if he could. He had said them, however, and I took them up quickly.

"With what? What is your trouble?"

"It is very difficult to impart[10], sir. It is very, very difficult to speak of. If ever you make me another visit, I will try to tell you."

---

1. cf. : **discharge of debt:** *acquittement d'une dette.*
2. **to set sb down as:** *tenir qn pour.*
3 **but = except:** *hormis, à part.*
4 **asunder:** *très éloigné.*
5. **contented:** *satisfait.*
6. **to ackowledge:** *reconnaître.*

Je remarquai tout le soin et l'attention qu'il apportait à son travail par sa façon d'abandonner la conversation dès qu'il avait une tâche à accomplir et de ne la reprendre que lorsqu' il avait fini.

Pour tout dire, je le considérais comme un employé modèle, même si ,par deux fois , il cessa brusquement de me parler, devint pâle comme la mort, se retourna vers la petite sonnette alors qu'elle n'émettait aucun bruit, ouvrit la porte de la cabane qu'on laissait fermée pour se protéger du froid et regarda, inquiet, la lumière rouge de l'entrée du tunnel.

Et, à chaque fois, quand il revint s'asseoir près du feu il avait cet air bizarre et indéfinissable qui m'avait frappé dès que je l'avais aperçu. Je me levai pour prendre congé et dis :

– Vous semblez presque avoir trouvé la quiétude.

Je dois avouer que c'était un moyen pour le faire parler.

– Je le pensais aussi, dit-il en murmurant, comme la première fois ; mais je suis tourmenté, monsieur, je suis tourmenté.

Il aurait voulu retirer ces paroles, s'il avait pu. Mais il les avait prononcées et je saisis l'occasion.

– Par quoi ? Qu'est-ce qui vous tourmente ?

– C'est très difficile à dire, monsieur. Il m'est extrême-ment difficile d'en parler. Mais si vous revenez me voir, j'essayerai de vous expliquer.

---

7. **to lead on**: *encourager.*
8. **to rejoin**: *répliquer, répondre.*
9. **to recall** n'a pas ici de sens de **to bring to mind** (*évoquer*) mais celui de **to bring back** (*rappeler*).
10. **to impart**: *communiquer, faire part de.*

"But I expressly[1] intend to make you another visit. Say, when shall it be?"

"I go off early in the morning, and I shall be on[2] again at ten to-morrow night, sir."

"I will come at eleven."

He thanked me, and went out at the door with me. "I'll show my white light, sir," he said, in his peculiar low voice, "till you have found the way up. When you have found it, don't call out! And when you are at the top, don't call out[3]!"

His manner seemed to make the place strike[4] colder to me, but I said no more than, "Very well."

"And when you come down to-morrow night, don't call out! Let me ask you a parting[5] question. What made you cry, 'Halloa! Below there!' to-night?"

"Heaven knows[6]," said I. "I cried something to that effect--"

"Not to that effect, sir. Those were the very words. I know them well."

"Admit those were the very[7] words. I said them, no doubt, because I saw you below."

"For no other reason?"

"What other reason could I possibly have?"

"You had no feeling that they were conveyed[8] to you in any supernatural way?"

"No."

He wished me good-night, and held up[9] his light.

---

1. **expressly**: *précisément, expressément.*
2. cf. : **to be on** duty: *être de service* (± **to be off duty**).
3. **to call out**: *déclarer, proclamer.*
3. **to strike, struck, struck**: *frapper.*
4. cf. : **parting words**: *paroles d'adieu*

– Mais bien sûr que je reviendrai. Dites-moi quand cela vous convient.

– Je termine de bonne heure demain matin et je reprends le service à dix heures du soir, monsieur.

– Bon et bien je viendrai à onze heures.

Il me remercia et en me raccompagnant à la porte, me dit, toujours à voix basse :

– Je vais vous éclairer avec ma lanterne jusqu'à ce que vous ayez retrouvé le chemin pour remonter. Mais ce n'est pas la peine de crier quand vous l'aurez trouvé ! Et quand vous serez arrivé en haut, non plus !

Son attitude me donnait une impression encore plus glaciale de cet endroit mais je répondis simplement :

– Très bien !

– Et quand vous viendrez demain, ne faites pas de bruit ! Avant de partir, permettez-moi de vous poser une question : pourquoi avez-vous fait "Hep, là-bas !" tout à l'heure ?

– Je n'en sais rien, dis-je ; j'ai fait quelque chose comme ça.

– Non, pas quelque chose comme ça. Ce sont exactement les mots que vous avez prononcés.

– C'est bien possible ! J'ai sûrement dit cela parce que je vous ai vu en bas.

– Pas pour une autre raison ?

– Pour quelle autre raison ?

– Vous n'avez pas eu l'impression qu'une force inconnue vous poussait ?

– Non.

Il me dit alors bonsoir et éclaira mon chemin avec sa lanterne.

---

5. cf. : **Good heavens!**: *Mon Dieu ! Bonté divine !*

6. **very** est ici un adjectif qui a le sens de *exact.*

7. **to convey**: *transmettre, amener, conduire.*

8. **to hold up**: *relever.*

I walked by the side of the down Line of rails (with a very disagreeable sensation of a train coming behind me) until I found the path. It was easier to mount than to descend, and I got back to my inn[1] without any adventure.

Punctual to my appointment[2], I placed my foot on the first notch[3] of the zigzag next night, as the distant clocks were striking eleven. He was waiting for me at the bottom, with his white light on. "I have not called out," I said, when we came close together; "may I speak now?" "By all means[4], sir." "Good-night, then, and here's my hand[5]." "Good-night, sir, and here's mine." With that we walked side by side to his box, entered it, closed the door, and sat down by the fire.

"I have made up my mind[6], sir," he began, bending[7] forward as soon as we were seated, and speaking in a tone but a little above[8] a whisper[9], "that you shall not have to ask me twice what troubles me. I took you for some one else yesterday evening. That troubles me."

"That mistake?"

"No. That some one else."

"Who is it?"

"I don't know."

"Like me?"

"I don't know. I never saw the face. The left arm is across the face, and the right arm is waved[10],--violently waved. This way."

---

1. **inn** (*auberge*) est un endroit où l'on peut dormir et se restaurer.

2. **an appointment**: *un rendez-vous*.

3. **a notch**: *une encoche, un cran*.

4. **by all means**: *je vous en prie*.

5. Les Anglo-saxons ont beaucoup moins l'habitude de se serrer la main que les Français. Cela confère à cet acte un caractère plus formel ou plus chaleureux.

En longeant la voie pour parvenir jusqu'au sentier j'avais toujours l'horrible impression qu'un train fonçait sur moi. Il me fut plus facile de monter que de descendre, et je retournai à mon auberge sans encombres.

Le lendemain soir, ponctuel à mon rendez-vous, j'amorçai la descente du sentier alors que l'on entendait, au loin, les cloches sonner onze heures. Il m'attendait en bas avec sa lanterne.

– Je n'ai pas fait de bruit, dis-je en me rapprochant de lui. Est-ce que je peux parler maintenant ?

– Mais certainement, monsieur. Bonsoir. Et il me tendit la main.

Je la lui pris bien volontiers.

– Bonsoir, monsieur.

Il m'a ensuite conduit jusqu'à sa cabane où il m'a fait entrer et m'a invité à m'asseoir au coin du feu.

A peine assis, il se pencha vers moi et me dit :

– J'ai pris une décision, monsieur.

Et, toujours en chuchotant :

– Vous vouliez savoir ce qui me tourmentait hier soir. Eh bien, je vous avais pris pour une autre personne. C'était elle la cause de mon tourment.

– Cette méprise ?

– Non. Cette autre personne.

– Qui était-ce ?

– Je n'en sais rien.

– Elle me ressemblait ?

– Je n'en sais rien. Je n'ai jamais vu son visage. Il était caché par son bras gauche. Et elle agitait le bras droit – l'agitait très fort. Comme ça.

---

6. **to make up one's mind**: *se décider*.

7. **to bend (bent, bent) forward**: *se pencher en avant*.

8. **but a little above**: lit. *seulement un peu au dessus*.

9 **a whisper** : *un chuchotement*. cf. : **to whisper**.

10. cf. : **to wave goodbye to someone**: *faire au revoir de la main à quelqu'un.*

I followed his action with my eyes, and it was the action of an arm gesticulating, with the utmost[1] passion and vehemence, "For God's sake, clear the way[2]!"

"One moonlight[3] night," said the man, "I was sitting here, when I heard a voice cry, 'Halloa! Below there!' I started up, looked from that door, and saw this Some one else standing by the red light near the tunnel, waving as I just now showed you. The voice seemed hoarse[4] with shouting, and it cried, 'Look out! Look out!' And then attain, 'Halloa! Below there! Look out!' I caught up[5] my lamp, turned it on red, and ran towards the figure, calling, 'What's wrong? What has happened? Where?' It stood just outside the blackness of the tunnel. I advanced so close[6] upon it[7] that I wondered at its keeping the sleeve across its eyes. I ran right up at it, and had my hand stretched[8] out to pull the sleeve[9] away, when it was gone."

"Into the tunnel?" said I.

"No. I ran on[10] into the tunnel, five hundred yards[11]. I stopped, and held my lamp above my head, and saw the figures of the measured distance, and saw the wet stains stealing down the walls and trickling[12] through the arch. I ran out again faster than I had run in (for I had a mortal abhorrence of the place upon me), and I looked all round the red light with my own red light, and I went up the iron ladder to the gallery atop[13] of it, and I came down again, and ran back here. I telegraphed both ways, 'An alarm has been given. Is anything wrong?' The answer came back, both ways[14], 'All well.'"

---

1. **utmost = of the highest degree**: *extrême*.
2. lit. : *dégagez le passage* !
3. **moonlight**: *rayon de lune*.
4. **hoarse**: *rauque, enroué*.
5. **to catch up**: *rattraper*.
6. **close = near**: *proche*.
7. "**it**" fait référence à '**figure**' (dont on ne peut déterminer le sexe ou la nature humaine).

Je l'observais attentivement : c'était le geste frénétique d'un désespéré qui criait :

– Bon sang, dégagez !

– Une nuit de pleine lune, expliqua-t-il, j'étais assis ici quand j'ai entendu quelqu'un crier, "Hep, là-bas !" J'ai sursauté, regardé par la porte et vu quelqu'un à côté de la lumière rouge du tunnel, qui gesticulait comme je viens de vous le montrer. La voix éraillée par les hurlements, il criait "Attention ! Attention !" Et puis : "Hep, là-bas ! Attention !" J'ai pris ma lanterne, l'ai mise au rouge, et me suis précipité vers cette personne en criant "Qu'y a-t-il ? Que s'est-il passé ? Où ça ?" Elle était debout à côté de la bouche noire de l'entrée du tunnel. Et en me rapprochant d'elle je me suis demandé pourquoi elle se cachait toujours avec son bras. J'ai couru jusqu'à elle mais quand j'ai tendu la main pour lui prendre le bras elle a disparu.

– A l'intérieur du tunnel ?

– Non. Je suis rentré dans le tunnel. J'ai couru un moment. Puis je me suis arrêté et en levant ma lampe j'ai vu que j'avais parcouru cinq cents mètres et qu'il y avait de l'humidité qui perlait des murs et dégoulinait de la voûte. Je suis ressorti plus vite encore que je n'étais rentré car cet endroit m'inspire une haine profonde. Alors, avec ma lanterne rouge, j'ai inspecté soigneusement les lieux aux abords du feu rouge, j'ai escaladé l'échelle métallique jusqu'à la plate-forme qui se trouve au dessus, je suis redescendu et rentré en courant. J'ai télégraphié dans les deux directions : "Alerte. Que se passe-t-il ?" " La réponse qui me revint des deux côtés était la même : "Rien à signaler !"

---

8. **to stretch out**: *étendre*.

9. **the sleeve**: *la manche*.

10. **on** indique la continuité de l'action (après **ran up at it**).

11. 1 **yd** = 0,9144 m= 3 **foot** (*pieds*) et 36 **inches** (*pouces*). On notera dans le même paragraphe **ran out**, **ran in** et **ran back**.

12. **to trickle** = **to drip**: *tomber goutte à goutte*.

13. **atop of it**: *au dessus*.

14. C'est à dire de part et d'autre de la ligne.

Resisting the slow touch of a frozen[1] finger tracing out[3] my spine, I showed him how that this figure must be a deception[3] of his sense of sight; and how that figures, originating in disease of the delicate nerves that minister[4] to the functions of the eye, were known to have often troubled patients, some of whom had become conscious of the nature of their affliction, and had even proved it by experiments[5] upon themselves. "As to an imaginary cry," said I, "do but listen for a moment to the wind in this unnatural[6] valley while we speak so low, and to the wild harp it makes of the telegraph wires."

That was all very well, he returned, after we had sat listening for a while, and he ought[7] to know something of the wind and the wires,-- he who so often passed long winter nights there, alone and watching[8]. But he would beg to remark that he had not finished.

I asked his pardon, and he slowly added these words, touching my arm, --

"Within six hours[9] after the Appearance, the memorable accident on this Line happened, and within ten hours the dead and wounded were brought along through the tunnel over the spot where the figure had stood."

A disagreeable shudder[10] crept over me, but I did my best against it. It was not to be denied, I rejoined, that this was a remarkable coincidence, calculated deeply to impress his mind. But it was unquestionable that remarkable coincidences did continually occur, and they must be taken into account[11] in dealing with such a subject.

---

1. **to freeze, froze, frozen**: *geler*.

2. **to trace out**: *tracer*.

3. cf. : **to deceive**: *tromper* ; **deceptive**: *trompeur*.

4. **to minister to**: *desservir*.

5. **an experiment**: *une expérience* (à caractère scientifique). Le mot **'experience'** s'utilise pour l'expérience acquise avec le temps.

6. **unnatural** : *qui n'est pas normal, qui est contre-nature*.

Cela me fit froid dans le dos mais je n'en laissais rien paraître et esssayais de le convaincre qu'il ne pouvait s'agir que d'une illusion d'optique et que l'on savait maintenant qu'une maladie du nerf optique pouvait donner une sensation de mirage et troubler des gens qui, quand ils s'étaient rendu compte qu'ils souffraient de ce mal, avaient décrit précisément les désordres qu'il provoquait.

– Quant au cri que vous avez cru entendre, dis-je, il vous suffit d'écouter un instant le bruit que fait le vent dans cette crevasse abominable quand nous parlons tout bas, un étrange bruit de harpe sur les fils télégraphiques.

C'était bien beau, me dit-il, après m'avoir écouté un moment, et ce n'était pas à lui que l'on allait apprendre le bruit que faisait le vent dans les fils – lui qui passait si souvent de longues nuits de garde l'hiver, là, tout seul. Mais il se permettait de me faire remarquer qu'il n'avait pas fini.

Je lui demandai pardon et, en me touchant le bras, il ajouta, d'une voix lente, ces quelques mots :

– Six heures après cette apparition a eu lieu ce terrible accident de train, et dix heures après, on a sorti les morts et les blessés du tunnel, à l'endroit exact où se trouvait la silhouette que j'avais vue.

Un frisson désagréable me parcourut, mais je fis comme si de rien n'était. J'avouai que c'était, évidemment, une coincidence extraordinaire, qui ne pouvait que le bouleverser.

Mais il était indiscutable que des coincidences extraordinaires se produisaient régulièrement, et qu'il fallait en tenir compte pour aborder le sujet.

---

7. **ought to** indique qu'on peut s'attendre à ce qu'il connaisse.

8. Dans cette phrases comme dans de nombreuses autres, l'auteur utilise le style indirect libre.

9. lit. : *"dans les six heures qui suivirent"*. **within**: *à l'intérieur de.*

10. **a shudder**: *un tremblement, un frisson.*

11. **to take sth into account**: *prendre qch en compte.*

Though to be sure I must admit, I added (for I thought I saw that he was going to bring the objection to bear upon[1] me), men of common sense did not allow[2] much for coincidences in making the ordinary calculations of life.

He again begged to remark that he had not finished.

I again begged his pardon for being betrayed[3] into interruptions.

"This," he said, again laying his hand upon my arm, and glancing over his shoulder with hollow[4] eyes, "was just a year ago. Six or seven months passed, and I had recovered from the surprise and shock, when one morning, as the day was breaking, I, standing at the door, looked towards the red light, and saw the spectre again." He stopped, with a fixed look at me.

"Did it cry out?"

"No. It was silent."

"Did it wave its arm?"

"No. It leaned against the shaft[5] of the light, with both hands before the face. Like this."

Once more I followed his action with my eyes. It was an action of mourning[6]. I have seen such an attitude in stone figures on tombs[7].

"Did you go up to it?"

"I came in and sat down, partly[8] to collect my thoughts, partly because it had turned me faint[9]. When I went to the door again, daylight was above me, and the ghost was gone."

---

1. **to bear upon**: *peser sur.*
2. **to allow for**: *tenir compte de.*
3. **to betray**: *trahir, révéler involontairement.*
4 .**hollow eyes**: *yeux caves.*
5. **the shaft of light**: *le trait de lumière.*
6. **mourning**: *le deuil.*

Pour devancer son objection je dus convenir qu'en règle générale, les gens de bon sens ne prêtaient guère d'attention aux coincidences qui se produisaient d' ordinaire dans leur vie.

Il me permit à nouveau de me faire remarquer qu'il n'avait pas fini.

Je lui demandai encore pardon de lui avoir coupé la parole.

– Ceci s'est passé il y a exactement un an, dit-il en reposant la main sur mon bras. Six ou sept mois plus tard, je m'étais remis de ma surprise et du choc, quand un matin, à la naissance du jour, j'ai encore vu, de chez moi, le fantôme à côté du feu rouge. Il s'arrêta, me fixant du regard.

– Il a poussé des cris ?

– Non. Il n'a rien dit.

– Il a agité le bras ?

– Non. Il avait la lumière dans le dos, et le visage caché dans les mains. Comme ça !

Une fois de plus, je ne le lâchais pas du regard ses moindres faits et gestes. Des gestes de deuil. Il ressemblait à un gisant.

– Vous vous êtes approché de lui ?

– Je suis rentré m'asseoir, cela m'avait donné le vertige et j'avais besoin de reprendre mes esprits. Quand je suis retourné à la porte, le jour s'était levé et le fantôme avait disparu.

---

7. Attention à la prononciation de **tomb**!

8. **partly**: *en partie, partiellement*.

9. **faint** (*faible*) est ici un adjectif. Comme verbe il a le sens de "*défaillir, s'évanouir*."

"But nothing followed? Nothing came of this?"

He touched me on the arm with his forefinger[1] twice or thrice[2] giving a ghastly[3] nod each time:-

"That very day, as a train came out of the tunnel, I noticed, at a carriage window on my side, what looked like a confusion of hands and heads, and something waved. I saw it just in time to signal the driver, Stop! He shut off[4], and put his brake on, but the train drifted[5] past here a hundred and fifty yards or more. I ran after it, and, as I went along, heard terrible screams[6] and cries. A beautiful young lady had died instantaneously in one of the compartments, and was brought in here, and laid down on this floor between us."

Involuntarily I pushed my chair back, as I looked from the boards[7] at which he pointed to himself.

"True, sir. True. Precisely as it happened[8], so I tell it you."

I could think of nothing to say, to any purpose[9], and my mouth was very dry. The wind and the wires took up the story with a long lamenting wail[10].

He resumed. "Now, sir, mark this, and judge how my mind is troubled. The spectre came back a week ago. Ever since, it has been there, now and again, by fits and starts[11]."

"At the light?"

"At the Danger-light."

"What does it seem to do?"

He repeated, if possible with increased passion and vehemence, that former gesticulation of, "For God's sake, clear the way!"

---

1. **forefinger**: *index.*

2. **thrice**(= **three times**) est une forme tombée aujourdh'hui en désuétude.

3. **ghastly**: *épouvantable, terrifiant, funèbre.*

4. **to shut off**: *fermer.* S'utilise par exemple pour le gaz, l'eau ou l'électricité.

5. **to drift**: *aller à la dérive.*

– Mais ensuite ? Il ne s'est rien passé ?

Il me toucha le bras deux ou trois fois avec l'index, agitant à chaque fois la tête de façon effrayante :

– Ce jour là même, quand le train est sorti du tunnel, j'ai remarqué à la fenêtre du wagon ce qui me semblait un fouillis de têtes et de mains, et une chose qu'on agitait. Je le vis juste à temps pour faire signe au chauffeur. Arrêtez ! Il coupa la vapeur, et mit le frein, mais il fallut à peu près cent cinquante mètres au train pour s'arrêter. J'ai couru derrière, et dans ma course, j'ai entendu des cris et des hurlements terribles. Une belle jeune femme était morte sur le coup dans un des compartiments, on l'a amenée ici et on l'a étendue par terre, ici, exactemnet à l'endroit où nous sommes.

Involontairement, je reculai ma chaise et regardai le plancher qu'il montrait du doigt.

– C'est la pure vérité, monsieur. C'est exactement comme ça que ça s'est passé, comme je vous le dis."

Je ne savais que dire, et j'avais la gorge sèche. Le vent qui soufflait dans les les fils racontait la fin de l'histoire par des lamentations funèbres.

Il reprit :

– Maintenant, monsieur, écoutez-moi et vous comprendrez mon trouble. Le spectre est revenu il y a une semaine. Il est toujours là, enfin il fait des apparitions, de temps en temps.

– Là où se trouve le signal ?

– Juste au signal d'alerte.

– Et qu'est-ce qu'il fait ?

Il répéta, avec une véhémence encore accrue, les gestes qu'il avait faits en hurlant : "Bon sang, dégagez !"

---

6. **scream** indique un bruit fort, aigu et perçant provoqué par la peur ou la douleur.

7. Il s'agit des **floorboards** (*lames du plancher*).

8. = **it happened just as I told you**.

9. cf. : **to that purpose**: *à cette fin*.

10. **wail**: *plainte, pleurs ;* → **to wail**: *gémir, pleurnicher*.

11. **in fits and starts**: *par à-coups*.

Then he went on. "I have no peace or rest for it[1]. It calls to me, for many minutes together[2], in an agonised manner, 'Below there! Look out! Look out!' It stands waving to me. It rings my little bell--"

I caught at that. "Did it ring your bell yesterday evening when I was here, and you went to the door?"

"Twice."

"Why, see," said I, "how your imagination misleads[3] you. My eyes were on the bell, and my ears were open to the bell, and if I am a living man, it did not ring at those times. No, nor[4] at any other time, except when it was rung in the natural course of physical things by the station communicating with you."

He shook his head. "I have never made a mistake as to that yet, sir. I have never confused the spectre's ring with the man's. The ghost's ring is a strange vibration in the bell that it derives[5] from nothing else, and I have not asserted that the bell stirs to the eye. I don't wonder that you failed to hear it. But I heard it."

"And did the spectre seem to be there, when you looked out[6]?"

"It was there."'

"Both times?"

He repeated firmly: "Both times."

"Will you come to the door with me, and look for it now?"

He bit[7] his under lip as though he were somewhat unwilling[8], but arose. I opened the door, and stood on the step, while he stood in the doorway. There was the Danger-light[9]. There was the dismal[10] mouth of the tunnel.

---

1. **for it** = **because of it**.
2. m. à m. : *pendant beaucoup de minutes ensemble*.
3. **to mislead sb**: *égarer qn*. cf. : **misleading**: *trompeur*.
4. cf. : **neither... nor**...: *ni... ni...*
5. **to derive from**: *provenir de*.
6. **to look out**: *faire attention*.

Puis il continua :

– Il ne me laisse pas en paix – pas de repos. Il m'appelle, pendant de longues minutes, de manière atroce, en répétant : "Là-bas ! Attention ! Attention !" Il me fait signe. Il déclanche la sonnerie.

Je l'interrompis :

– Est-ce qu'il a fait marcher la sonnette hier soir, quand j'étais là, et que vous vous êtes précipité à la porte ?

– Oui, deux fois.

– Eh bien, dis-je, vous voyez comme votre imagination vous joue des tours. J'avais la sonnette sous les yeux, et j'ai l'ouïe fine, et, que le diable m'emporte si je mens, elle n'a PAS sonné ! Elle n'a jamais sonné sauf, naturellement, quand la gare a voulu communiquer avec vous.

Il secoua la tête :

– Je ne me suis jamais trompé, monsieur. Je sais faire la différence entre les sonneries des fantômes et les sonneries des hommes. Les sonneries des fantômes provoquent des vibrations bien particulières et je n'ai jamais dit que l'on pouvait voir ces vibrations. Cela ne m'étonne pas que vous n'ayez rien entendu mais, en tout cas, moi j'ai entendu quelque chose.

– Et est-ce que vous avez eu l'impression que le fantôme était là quand vous avez regardé dehors ?

– Bien sûr qu'il était là !

– Les deux fois ?"

Il répéta d'un ton ferme :

– Oui, les deux fois.

– Acceptez-vous de sortir avec moi pour voir s'il est là ?

Il se mordit la lèvre inférieure, comme si n'en avait pas envie, mais il se leva. J'ouvris la porte, et me mis sur le seuil, tandis que lui restait dans l'encadrement de la porte. On voyait le signal d'alerte. On voyait l'entrée lugubre du tunnel.

---

7. **to bite, bit, bitten**: *mordre.*

8. **to be unwilling**: *être peu disposé à.*

9. C'est la lumière rouge qui s'allume pour indiquer l'arrivée d'un train et donc le danger qu'il représente pour ceux qui se trouveraient sur la voie.

10. **dismal** ['dızməl]: *triste, morne.*

There were the high, wet stone walls of the cutting. There were the stars above them.

"Do you see it?" I asked him, taking particular note of his face. His eyes were prominent and strained[1], but not very much more so, perhaps, than my own had been when I had directed them earnestly[2] towards the same spot[3].

"No," he answered. "It is not there."

"Agreed," said I.

We went in again, shut the door, and resumed our seats. I was thinking how best to improve this advantage, if it might be called one, when he took up the conversation in such a matter-of-course[4] way, so assuming[5] that there could be no serious question of fact between us, that I felt myself placed in the weakest of positions.

"By this time you will fully understand, sir," he said, "that what troubles me so dreadfully is the question, What does the spectre mean?"

I was not sure, I told him, that I did fully understand.

"What is its warning[6] against?" he said, ruminating[7], with his eyes on the fire, and only by times turning them on me. "What is the danger? Where is the danger? There is danger overhanging[8] somewhere on the Line. Some dreadful calamity will happen. It is not to be doubted this third time, after what has gone before. But surely this is a cruel haunting[9] of me. What can I do?"

---

1. **to strain one's eyes**: *se fatiguer les yeux* ; **strain**: *tension, effort physique, surmenage.*
2. **earnestly**: *fermement, sérieusement.*
3. **spot**: (*endroit*) a aussi le sens de "*tache*".
4. **as a matter-of-course**: *automatiquement.*

On voyait les murs humides et hauts de la tranchée, et, au dessus, les étoiles.

– Vous le voyez ? lui demandai-je, en observant attentivement son visage. Je le vis plisser ses yeux exorbités, mais j'en avais peut-être fait tout autant quand j'avais moi-même, en toute candeur, fixé mon regard au même endroit.

– Non, répondit-il. Il n'est pas là.

– Assurément, dis-je.

Nous sommes rentrés, avons fermé la porte et regagné nos sièges. Je songeais à la manière de tirer parti de l'avantage que je venais de prendre, si l'on peut dire, quand il reprit la conversation, comme si de rien n'était et que nous partagions le même point de vue, ce qui me donna le sentiment d'être placé en position de faiblesse.

– A présent vous allez comprendre parfaitement, monsieur, dit-il, que la question qui me tourmente si affreusement est de comprendre ce que le fantôme veut dire.

Je n'étais pas sûr, lui expliquai-je, de comprendre parfaitement.

– De quoi veut-il m'avertir ? dit-il, inquiet, alors qu'il ne me jetait des regards furtifs et gardait les yeux braqués sur le signal.

– De quel danger ? Où y-a-t-il danger ? Il y a un danger imminent quelque part sur la ligne. Une catastrophe effroyable va se produire. C'est comme les deux fois précédentes, il n'y a pas de doute. Mais pourquoi diable s'en prend-il aussi cruellement à moi ? Qu'est-ce que j'ai à voir là dedans ?

---

5. **to assume**: *supposer, partir du principe.*
6. **to warn sb against sth**: *mettre en garde qn contre qch.*
7. **to ruminate**: *ruminer, réfléchir.*
8. **overhanging** : *menaçant.*
9. Attention à la prononciation de **haunt** [gɔːnt] (*hanter*).

He pulled out his handkerchief, and wiped the drops from his heated[1] forehead.

"If I telegraph Danger, on either side[2] of me, or on both, I can give no reason for it," he went on, wiping the palms of his hands. "I should get into trouble, and do no good[3]. They would think I was mad. This is the way it would work,--Message: 'Danger! Take care!' Answer: 'What Danger? Where?' Message: 'Don't know. But, for God's sake, take care!' They would displace me. What else could they do?"

His pain[4] of mind was most pitiable to see. It was the mental torture of a conscientious man, oppressed beyond endurance by an unintelligible responsibility involving life.

"When it first stood under the Danger-light," he went on, putting his dark hair back[5] from his head, and drawing his hands outward[6] across and across his temples in an extremity of feverish distress, "why not tell me where that accident was to[7] happen,--if it must happen? Why not tell me how it could be averted[8],--if it could have been averted? When on its second coming it hid[9] its face, why not tell me, instead[10], 'She is going to die. Let[11] them keep her at home'? If it came, on those two occasions, only to show me that its warnings were true, and so to prepare me for the third, why not warn me plainly[12] now? And I, Lord help me! A mere[13] poor signal-man on this solitary station! Why not go to somebody with credit to be believed, and power to act?"

---

1. **to heat** : *chauffer.* ↝ **heat**: *la chaleur.*
2. **either side**: *d'un côté ou d'autre.* ↝ **on both**: *des deux côtés.*
3. **to do good**: *bien faire.*
4. **pain**: *la douleur.*
5. **to put back**: *replacer, remettre.*
6. **outward**: *externe ,extérieur.* cf. : **outward-bound**: *en partance.*
7. **to be to** s'utilise pour un événement prévu.

Il sortit son mouchoir, et essuya les gouttes de sueur de son front fébrile.

– Si je télégraphie le mot 'Danger' d'un côté ou de l'autre de la ligne, ou des deux côtés, je ne peux pas justifier mon message d'alerte, poursuivit-il, en s'essuyant la paume des mains. Cela m'attirerait des ennuis et ne servirait à rien. Ils penseraient que je suis fou Voilà comment ça se passerait :

Message : "Danger ! Prenez garde !"

Réponse :" Quel danger ? Où ?"

Message :" Sais pas. Mais, sacrebleu, prenez garde !"

Ils me déplaceraient. Que pourraient-ils faire d'autre ?

Sa détresse faisait pitié à voir. C'était la torture intérieure d'un homme consciencieux, accablé à en perdre la raison par une responsabilité écrasante, celle de la vie d'autrui.

– La première fois qu'il s'est mis sous le signal d'alerte, continua-t-il, en rejetant ses cheveux bruns en arrière et en se frottant les tempes, dans un état fiévreux d'extrême détresse, pourquoi ne m'a -t-il pas dit où cet accident devait se produire ? Pourquoi ne pas dire comment on pouvait l'éviter ? Quand à sa deuxième apparition il s'est caché le visage, pourquoi ne m'a-t-il pas dit, plutôt, "Elle va mourir. Qu'elle reste chez elle" ? S'il n'est venu, ces deux fois là, que pour me prouver qu'il avait raison de me mettre en garde, et donc me préparer à la troisième, pourquoi ne pas m'avertir clairement maintenant ? Et pourquoi moi ? Que Dieu me protège ! Un pauvre signaleur dans un coin perdu ! Pourquoi ne pas s'adresser à quelqu'un à qui l'on accorderait du crédit et qui pourrait vraiment faire quelque chose ?

---

8. **to avert**: *éviter.*

9. **to hide,hid,hidden**: *cacher.*

10. **instead**: (adverbe) : *plutôt.*

11. Notez cette forme de l'impératif à la troisième personne.

12. **plainly**: *franchement.*

13. **mere = no better than.**

When I saw him in this state, I saw that for the poor man's sake[1], as well as for the public safety, what I had to do for the time was to compose[2] his mind. Therefore, setting aside[3] all question of reality or unreality between us, I represented[4] to him that whoever thoroughly discharged his duty must do well, and that at least it was his comfort that he understood his duty, though he did not understand these confounding[5] Appearances. In this effort I succeeded far better than in the attempt to reason him out of[6] his conviction. He became calm; the occupations incidental[7] to his post as the night advanced began to make larger demands[8] on his attention: and I left him at two in the morning. I had offered to stay through[9] the night, but he would not hear of it.

That I more than once looked back at the red light as I ascended the pathway, that I did not like the red light, and that I should have slept but poorly if my bed had been under it, I see no reason to conceal[10]. Nor did I like the two sequences of the accident and the dead girl. I see no reason to conceal that either.

But what ran most in my thoughts was the consideration how ought I to act, having become the recipient[11] of this disclosure[12]? I had proved the man to be intelligent, vigilant, painstaking[13], and exact; but how long might he remain so, in his state of mind? Though in a subordinate position, still he held a most[14] important trust, and would I (for instance) like to stake[15] my own life on the chances of his continuing to execute it with precision?

---

1. **sake**: *amour, égard, intérêt.*
2. **to compose** = **to put together.**
3. **to set aside**: *mettre de côté, réserver.*
4. **to represent** = *to describe, to depict.*
5. **to confound** = **to throw into confusion.**
6. **out of** indique qu'on essaye de lui faire perdre la convicion qu'il avait.
7. **incidental**: *accessoire, contingent.*

A le voir dans cet état, je compris que, pour son bien, ainsi que pour la sécurité publique, ce qui importait avant tout était de le calmer. Donc, sans chercher absolument à savoir qui avait tort et qui avait raison, je l'assurais que celui qui faisait parfaitement son devoir, agissait bien, et que connaître son devoir était un soulagement, même s'il ne comprennait rien à ce qui lui arrivait. Je réussis beaucoup mieux à ce faire qu'à essayer de lui faire perdre ses idées irrationnelles. Il se calma ; les tâches qu'il avait à accomplir commencèrent à l'occuper davantage à mesure que la nuit avançait : et je le quittai à deux heures du matin. Je lui avais proposé de passer la nuit à ses côtés, mais il avait refusé.

Je ne vois aucune raison de ne pas avouer aujourd'hui que, en remontant, j'ai tourné la tête à plusieurs reprises pour regarder le feu rouge, que ce feu rouge ne me disait rien qui vaille, et que j'aurais très mal dormi si j'avais dû passer la nuit là. Je n'ai guère aimé non plus les deux histoires de l'accident et de la mort de la fille. Je ne vois aucune raison de ne pas avouer ça non plus.

Mais ce qui m'occupait principalement l'esprit c'était de me demander comment je devais agir, après avoir recueilli une telle révélation. J'avais eu la preuve que cet homme était intelligent, vigilant, méticuleux et exact ; mais combien de temps le resterait-il dans l'état où il était ? Bien qu'il n'eût qu'un poste subalterne, il avait de lourdes responsabilités, et oserais-je moi-même mettre ma vie en jeu en affirmant qu'on pouvait toujours lui faire confiance ?

---

8. **a demand**: *une exigence.*
9. **through** indique ici "*du début à la fin*".
10. **to conceal**: *cacher.*
11. **recipient**: *destinataire, bénéficiaire.*
12. cf. : **to disclose**: *divulguer, découvrir, laisser voir.*
13. **painstaking**: *méticuleux.*
14. **most** = **very.**
15. cf. : **to put at stake**: *exposer.*

Unable to overcome[1] a feeling that there would be something treacherous[2] in my communicating what he had told me to his superiors in the Company, without first being plain with himself and proposing a middle course[3] to him, I ultimately resolved to offer to accompany him (otherwise[4] keeping his secret for the present) to the wisest[5] medical practitioner[6] we could hear of in those parts, and to take his opinion. A change in his time of duty would come round next night, he had apprised[7] me, and he would be off an hour or two after sunrise, and on again soon after sunset. I had appointed[8] to return accordingly.

Next evening was a lovely evening, and I walked out early to enjoy it. The sun was not yet quite down when I traversed the field-path near the top of the deep cutting. I would extend my walk for an hour, I said to myself, half an hour on and half an hour back, and it would then be time to go to my signal-man's box.

Before pursuing[9] my stroll, I stepped to the brink[10], and mechanically looked down, from the point from which I had first seen him. I cannot describe the thrill[11] that seized upon me, when, close at the mouth of the tunnel, I saw the appearance of a man, with his left sleeve across his eyes, passionately waving his right arm.

The nameless horror that oppressed me passed in a moment, for in a moment I saw that this appearance of a man was a man indeed[12], and that there was a little group of other men, standing at a short distance, to whom he seemed to be rehearsing[13] the gesture he made.

---

1. **to overcome**: *surmonter.*
2. **treacherous**: *perfide, fourbe.*
3. **a middle course**: *un compromis.*
4. **otherwise**: *autrement, sinon.*
5. **wise**: *judicieux, sage.*
6. cf. : **a G P** (= **general practitioner**): *un médecin généraliste.*

Incapable de réprimer le sentiment qu'il y aurait quelque traitrise de ma part à révéler à ses supérieurs ce qu'il m'avait dit sans l'en informer d'abord et lui proposer de servir d'intermédiaire je me résolus finalement à m'offrir à l'accompagner (tout en gardant son secret pour l'instant) chez le médecin le plus réputé de la région pour lui demander son avis. Il m'avait dit que son horaire de service devait changer le lendemain soir et qu'il finirait une heure ou deux après le lever du soleil, pour reprendre dès qu'il ferait nuit. Je lui promis donc de revenir.

Ce soir là il faisait très beau et je partis de bonne heure pour profiter de ma promenade à travers champs. Il faisait encore jour et je suivais le sentier qui surplombait la voie ferrée. Je vais continuer à marcher pendant une heure, me dis-je, une demi-heure pour aller, une demi-heure pour revenir, et il sera l'heure de me rendre au poste d'aiguillage. Avant de poursuivre ma promenade, je me suis allé jusqu'au bord de la tranchée, et ai, machinalement baissé les yeux vers l'endroit où je l'avais vu la première fois. Je ne peux décrire le choc que je ressentis, quand, près de l'entrée du tunnel, je vis la forme d'une personne qui se cachait les yeux avec le bras gauche et agitait frénétiquement le bras droit.

L'horreur indicible qui me saisit fut brève, car très vite je m'aperçus que c'était vraiment un être humain et qu'il y avait, à proximité, d'autres hommes à qui ces gestes semblaient s'adresser.

---

7. **to apprise**: *notifier, mettre au courant.*
8. **to appoint**: *fixer* (date, rendez-vous).
9. **to pursue**: *poursuivre.*
10. cf. : **to be on the brink of doing sth**: *être sur le point de faire qch.*
11. **thrill:** *frisson.*
12. **indeed:**(adverbe): *en effet, effectivement.*
13. **to rehearse**: *répéter.*

The Danger-light was not yet lighted. Against its shaft[1], a little low hut[2], entirely new to me[3], had been made of some wooden supports and tarpaulin[4]. It looked no bigger than a bed.

With an irresistible sense[5] that something was wrong,--with a flashing self-reproachful[6] fear that fatal mischief[7] had come of my leaving the man there, and causing no one to be sent to overlook[8] or correct what he did,--I descended the notched path with all the speed I could make.

"What is the matter?" I asked the men.

"Signal-man killed this morning, sir."

"Not the man belonging[9] to that box?"

"Yes, sir."

"Not the man I know?"

"You will recognise him, sir, if you knew him," said the man who spoke for the others, solemnly uncovering his own head, and raising an end of the tarpaulin, "for his face is quite composed[10]."

"O, how did this happen, how did this happen?" I asked, turning from one to another as the hut closed in again.

"He was cut down by an engine, sir. No man in England knew his work better. But somehow he was not clear of the outer[11] rail. It was just at broad day. He had struck[12] the light, and had the lamp in his hand. As the engine came out of the tunnel, his back was towards her[13], and she cut him down.

---

1. cf. : **shaft of a stretcher**: *brancard d'une civière* ; **transmission shaft**: *arbre de transmission*.

2. **hut** = a simple roofed shelter, often with one or two sides left open.

3. **tarpaulin** fait référence au départ à une toile goudronnée, rendue ainsi imperméable.

4. lit. : "*c'était quelque chose d'entièrement nouveau pour moi*".

5. lit. : "*avec le sentiment irrésistible*".

6. **reproachful**: *réprobateur*; Ici il se fait des reproches.

Le signal d'alerte n'était pas encore allumé. Contre son poteau, je m'aperçus qu'on avait dressé une petite tente avec des piquets de bois et une bâche. Elle était de la taille d'un lit.

Je pressentis immédiatement qu'il y avait eu un accident – en un éclair je craignis que, par ma faute, il fût arrivé malheur à l'homme que j'avais laissé seul, sans personne pour le surveiller ni pallier ses défaillances – je descendis l'étroit sentier aussi vite que je pus.

– Que se passe-t-il ? demandai-je aux hommes.

– Un signaleur. Tué ce matin, monsieur.

– Pas le signaleur en poste ici ?

– Si, monsieur.

– Pas celui que je connais ?

– Vous allez voir tout de suite, monsieur, si c'est lui, dit mon interlocuteur, en se découvrant avec solennité et en soulevant un coin de la bâche, car son visage est intact.

– Oh, comment cela s'est-il passé, comment ça s'est passé ?, demandai-je, en les regardant tour à tour, après qu'ils eurent recouvert le corps.

– Il a été écrasé par une locomotive, monsieur. Il n'y avait pas meilleur signaleur né à Portsmouth dans tout le pays. Mais, sans qu'on sache pourquoi, il était trop près de la voie. C'était en plein jour. Il avait allumé la lumière et tenait sa lanterne à la main. Quand la locomotive est sortie du tunnel, il lui tournait le dos, et elle l'a écrasé.

---

7. cf. : **to make mischiefs**: *faire des bêtises.*

8. **to overlook**: *superviser.*

9. **to belong to**: *dépendre, appartenir à.*

10. **composed = calm, tranquil, serene.**

11. **outer**: *externe, extérieur.*

12. cf. : **to strike a match**: *gratter une allumette.*

13. Notez l'utilisation du pronom féminin pour faire référence à la locomotive et pensez au roman d'Emile Zola *"La Bête Humaine"*.

That man drove her, and was showing how it happened. Show the gentleman, Tom."

The man, who wore a rough dark dress[1], stepped[2] back to his former place at the mouth of the tunnel.

"Coming round the curve in the tunnel, sir," he said, "I saw him at the end, like as if I saw him down a perspective-glass[3]. There was no time to check[4] speed, and I knew him to be very careful. As he didn't seem to take heed[5] of the whistle, I shut it off when we were running down upon him, and called to him as loud as I could call."

"What did you say?"

"I said, 'Below there! Look out! Look out! For God's sake, clear the way!'"

I started.

"Ah! it was a dreadful time, sir. I never left off[6] calling to him. I put this arm before my eyes not to see, and I waved this arm to the last; but it was no use[7]."

Without prolonging the narrative to dwell[8] on any one of its curious circumstances more than on any other, I may, in closing it, point out the coincidence that the warning of the Engine-Driver included, not only the words which the unfortunate Signal-man had repeated to me as haunting him, but also the words which I myself--not he--had attached, and that only in my own mind, to the gesticulation he had imitated.

---

1. **dress** ici ne désigne lici un article vestimentaire exclusivement féminin *(la robe)* mais l'ensemble des vêtements portés, la tenue.

2. cf. : **a step**: *un pas*

3. **a perspective glass**= a telescope which shows objects in the right position.

4. **to check** = to restrain, to hold in control.

C'est celui qui la conduisait qui m'expliquait comment cela s'était passé :

– Montre à monsieur, Tom.

Celui-ci, en habits de travail noircis, reprit la place qu'il avait, à l'entrée du tunnel.

– En arrivant dans la courbe du tunnel, monsieur, dit-il, je l'ai vu au bout, comme dans un télescope. Il était trop tard pour freiner, et je savais qu'il connaissait son métier. Mais comme il ne semblait pas avoir entendu mon sifflet, j'ai coupé la vapeur pour réduire notre vitesse, et ai hurlé aussi fort que j'ai pu.

– Qu'avez-vous dit ?

– J'ai crié, "Hep, là-bas ! Attention ! Attention ! Bon sang, dégagez !"

Je tressaillis.

– Ah ! ce fut affreux, monsieur. Je n'ai pas arrêté de crier. J'ai mis mon bras devant les yeux pour ne rien voir, et j'ai agité l'autre bras jusqu'à la fin ; mais ça n'a servi à rien.

Sans vouloir prolonger l'histoire en m'attardant sur un détail étrange plutôt que sur un autre, je me permets, pour conclure, de souligner que, aussi invraisemblable que cela puisse paraître, les mots qu'avait prononcés le conducteur de train n'étaient pas seulement les paroles exactes que répétait le malheureux signaleur, mais celles que j'avais moi-même spontanément associées dans mon esprit, aux gestes qu'il avait mimés.

---

5. **to take heed of**: *tenir compte de.*

6. **to leave off** = **to cease, stop**. Comme tous les verbes indiquant le début, la continuation ou la fin d'une action, il est suivi du gérondif.

7. **it is no use** (*ça ne sert à rien de*) est aussi suivi d'un gérondif.

8. **to dwell (dwelt, dwelt) on**: *ressasser.*

Rudyard Kipling
(1865-1936)

Rudyard Kipling (1865-1936) n'a, mis à part *Kim* (1901), pas écrit de grands romans, il est néanmoins, grâce à ses nombreuses nouvelles, considéré non seulement comme un maître de la littérature anglaise pour la jeunesse mais aussi comme un formidable prosateur qui a contribué à faire de la nouvelle une forme littéraire à part entière.

Ces nouvelles furent publiées en recueils dont les principaux sont : *Plain Tales From the Hills* (1888), *The Jungle Book* (1895), *The Second Jungle Book* (1895) et *Puck of Pook's Hill* (1906).

Il a été en 1907 le premier écrivain de langue anglaise à obtenir le Prix Nobel de Littérature et a connu de son vivant un immense succès qui a fait de lui l'un des écrivains anglais les plus lus jusqu'au milieu du vingtième siècle. Sa disgrâce a commencé quand Orwell l'a dénoncé comme "un prophète de l'impérialisme britannique" et quand on a commencé à caricaturer son œuvre en la réduisant à de la simple littérature enfantine ou en la rejetant pour des motifs idéologiques par une lecture"anti-colonialiste". Il semble aujourd'hui nécessaire d'abandonner ces préjugés et de ne plus faire à l'auteur de faux procès. Il faut replacer l'œuvre dans son contexte historique et la lire sans œillères pour pouvoir apprécier l'extra-ordinaire puissance narrative de l'auteur. On comprendra alors pourquoi **Henry James** disait : " Kipling me touche personnellement comme l'homme de génie le plus complet que j'ai jamais connu".

The Miracle of Purun Bhagat qui clôt *The Second Jungle Book* était, pour Graham Greene, la meilleure histoire des deux livres. Même si les bêtes de la montagne y jouent un rôle important, c'est loin d'être un simple récit animalier. L'auteur raconte l'histoire d'un haut fonctionnaire indien qui se retire dans l'Himalaya pour devenir ermite. Il est vénéré par les habitants du village qu'il sauve d'une mort certaine en les prévenant de l'imminence de la destruction de leurs maisons par un glissement de terrain dont il a été averti par ses amis, les animaux sauvages.

LE MIRACLE DE PURUN BHAGAT
(1895)

(Publié dans *THE SECOND JUNGLE BOOK*)

The night we felt the earth would move
  We stole and plucked him by the hand,
Because we loved him with the love
  That knows but cannot understand.

And when the roaring hillside broke,
  And all our world fell down in rain,
We saved him, we the Little Folk;
  But lo! he does not come again!

Mourn now, we saved him for the sake
  Of such poor love as wild ones may.
Mourn ye! Our brother will not wake,
  And his own kind drive us away!

Dirge of the Langurs.

THERE was once a man in India who was Prime Minister of one of the semi-independent native States in the north-western part of the country. He was a Brahmin , so high-caste that caste ceased to have any particular meaning for him; and his father had been an important official in the gay-coloured tag-rag and bobtail of an old-fashioned Hindu Court. But as Purun Dass grew up he felt that the old order of things was changing, and that if any one wished to get on in the world he must stand well with the English, and imitate all that the English believed to be good.

---

1. **to steal** = **to move secretely or quietly**.

2. **to pluck**: *cueillir, voler*.

3. **for the sake of**: *juste pour*.

4. L'Inde était au XIXᵉ siècle le joyau de l'Empire britannique. La Reine Victoria fut impératrice des Indes de 1877 à 1901.

5. Les Brahmanes sont la première des quatre grandes castes chez les Hindous. C'est la caste sacerdotale, celle qui enseigne la doctrine des védas.

58

Quand nous avons senti que la terre tremblerait,
Nous nous sommes approchés de lui pour l'emmener,
Parce que notre amour pour lui était si tendre,
Notre amour qui savait mais ne pouvait comprendre.

Et quand la montagne dans un vacarme se brisa
Et que dans la poussière notre monde s'écroula
Nous l'avons arraché aux mains de l'au-delà
Mais hélas, aujourd'hui, il ne reviendra pas.

Et maintenant pleurez car nous l'avions sauvé
Avec l'amour qu'on peut chez les humbles trouver
Pleurez, car notre ami est parti à jamais,
Et ses frères, sans pitié, nous châssent désormais.

Chants funèbres des Langurs.

Il y avait jadis en Inde, un homme qui était premier ministre d'un des Etats indigènes semi-indépendants du Nord-Ouest du pays. C'était un Brahmane, d'une caste si élevée que le mot même de caste avait perdu pour lui toute signification; et son père avait été un fonctionnaire important faisant partie de cette foule hétéroclite de gredins qu'on trouvait dans les cours des anciens Maharajahs. Mais, en grandissant, Purun Dass s'aperçut que les choses avaient changé et que si l'on voulait de l'avancement il fallait être en bons termes avec les Anglais et imiter tout ce que les Anglais trouvaient bien.

---

6. **tag-rag and bobtail** = **the rabble of a community.** (*la canaille*)
7. On appelle hindou toute personne dont la religion est l'hindouisme et non tous les habitants de l'Inde.
8. **to get on in the world**: *progresser, réussir dans le monde.*
9. **to stand well with sb** = **to get on well with sb**.

At the same time a native official must keep his own master's favour. This was a difficult game, but the quiet[1], close-mouthed[2] young Brahmin, helped by a good English education at a Bombay[3] University, played it coolly, and rose, step by step, to be Prime Minister of the kingdom. That is to say, he held more real power than his master the Maharajah.

When the old king—who was suspicious of the English, their railways[4] and telegraphs[5]—died, Purun Dass stood high[6] with his young successor, who had been tutored by an Englishman; and between them, though he always took care that his master should have the credit[7], they established schools for little girls, made roads, and started State dispensaries and shows of agricultural implements[8], and published a yearly blue-book[9] on the 'Moral and Material Progress of the State,' and the Foreign Office and the Government of India were delighted. Very few, native States take up English progress altogether, for they will not believe, as Purun Dass showed he did, that what was good for the Englishman must be twice as good for the Asiatic. The Prime Minister became the honoured friend of Viceroys[10], and Governors[11], and Lieutenant-Governors, and medical missionaries, and common missionaries, and hard-riding English officers who came to shoot in the State preserves, as well as of whole hosts[12] of tourists who travelled up and down India in the cold weather, showing how things ought to be managed.

---

1. **closemouthed = reticent, uncommunicative.**

2. **quiet:** *réservé, introverti.*

3. Bombay qui est,depuis 1995, appelée Mumbaï, est la plus grande ville d'Inde et la capitale de l'Etat du Maharashtra. Bombay est le plus important centre économique et le principal port du pays. C'est aussi la ville du monde où s'l'on produit le plus grand nombre de films.

4. C'est en Angleterre dans les années 1820 que le chemin de fer a pris naissance.

5. Le télégraphe est un système qui tpermet de ransmettre des messagescodés d'un point à un autre sur de grandes distancves. Le télégraphe a été inventé par l'ingénieur français Claude Chiappe pendant la révolution française. Mais c'est en 1838 que l'Anglais Wheatstone construisit le premier télégraphe électrique qui fonctionna entre Londres et Birmingham.

Or, il faut dans le même temps qu'un fonctionnaire indigène reste dans les bonnes grâces de son maître. C'était là un exercice difficile ; mais le jeune Brahmane, discret et timide, grâce à l'éducation qu'il avait reçu à l'université anglaise de Bombay, fit preuve d'habileté, et s'éleva progressivement jusqu'au rang de Premier Ministre du royaume. C'est-à-dire qu'il avait, en réalité, plus de pouvoir que son propre maître, le Maharajah.

Lorsque le vieux roi -- qui se méfiait des Anglais avec leur chemin de fer et leur télégraphe – mourut, Purun garda les faveurs de son jeune héritier, qui avait eu un précepteur anglais ; et, ensemble, bien qu'il prît toujours soin d'en laisser le crédit à son maître, ils créèrent des écoles pour les filles, construisirent des routes, eurent l'idée de faire des dispensaires publics et des expositions de matériel agricole et publièrent annuellement un registre des "Progrès moraux et matériels de l'Etat", si bien que le Foreign Office comme le gouvernement de l'Inde en étaient très satisfaits. Très peu d'Etats indigènes adoptent, sans réserves, les progrès des Anglais, car ils ne croient pas, comme Purun Baghat, que ce qui est bon pour un Anglais doit l'être deux fois plus pour un Asiatique. Le Premier Ministre devint l'ami très honoré des Vice-Rois, des Gouverneurs, des Gouverneurs-Généraux, des missionnaires, des médecins et des valeureux officiers de cavalerie anglais qui venaient chasser dans les réserves de l'Etat, sans oublier les hordes de touristes qui voyagent du nord au sud de l'Inde pendant la saison froide. C'était un gouverneur modèle.

---

6. **to stand high** = to be at a specified level on or as if on a scale. ex. : **to stand high in reputation.**

7. **to have the credit for sth** = to have the acknowledgement of something as due to a person.

8. **implement**: *outils, équipement, matériel.*

9. **blue book** = a British parliamentary or other publication bound in a blue cover.

10. **Viceroy** = **a person appointed to rule a country or province as the deputy of the sovereign.** ex. : **the viceroy of India.**

11. Le **governor**, appelé aussi **Governor General** est le représentant de la couronne britannique dans un l'Etat, la province ou la ville de l'Emipire. Le **Lieutenant-Governor** est dans l'administration britannique l'adjoint du gouverneur. C'est lui qui le remplace en cas de besoin.

12. **a host** = **a great number of persons or things.**

In his spare time he would endow[1] scholarships[2] for the study of medicine and manufactures on strictly English lines, and write letters to the *Pioneer*[3], the greatest Indian daily paper, explaining his master's aims and objects.

At last he went to England on a visit, and had to pay enormous sums to the priests[4] when he came back; for even so high-caste a Brahmin as Purun Dass lost caste by crossing the black sea[5]. In London he met and talked with every one worth[6] knowing—men whose names go all over the world—and saw a great deal more than he said. He was given honorary degrees by learned[7] universities, and he made speeches and talked of Hindu social reform to English ladies in evening dress, till all London cried, 'This is the most fascinating[8] man we have ever met at dinner since cloths were first laid[9].'

When he returned to India there was a blaze[10] of glory, for the Viceroy himself made a special visit to confer upon the Maharajah the Grand Cross of the Star of India—all diamonds and ribbons and enamel[11]; and at the same ceremony, while the cannon boomed, Purun Dass was made a Knight Commander of the Order of the Indian Empire; so that his name stood Sir Purun Dass, K.C.I.E[12].

That evening, at dinner, in the big Viceregal tent, he stood up with the badge[13] and the collar of the Order on his breast, and replying to the toast of his master's health, made a speech few Englishmen could have bettered.

---

1. **to endow** . = **to provide with a permanent fund** : *doter*.

2. **scholarship**: *bourse d'études*.

3. Kipling travailla pour ce journal indien d'Allahabad de1887 à 1889. Il fut leur correspondant au Rajahstan et y publia de nombreux billets rassemblés plus tard sous les titres *Letters of Marque* et *Letters of Travel*.

4. **priest** (*prêtre*) est le terme généralement réservé aux ministres du culte catholique. On utilise les termes **vicar** ou **parson** chez les protestants. Ici il s'agit, bien entendu, de prêtres hindouistes.

5. m. à m. : "*mer noire*". Il s'agit des eaux noires de la mer.

6. **worth** est toujours suivi d'un gérondif. Ex. : **this film is worth seeing**: *ce film vaut la peine d'être vu*.

Pendant son temps libre il instituait des bourses pour l'étude de la médecine et de l'industrie à la mode britannique et écrivait des lettres au *Pioneer*, le plus grand quotidien indien, où il expliquait les idées et les objectifs de son maître.

Enfin il alla visiter l'Angleterre, et, à son retour, dut verser d'énormes sommes d'argent aux prêtres ; car un Brahmane, même s'il appartenait à une aussi haute caste que Purun Dass déchoit de sa caste dès qu'il franchit l'océan. A Londres il rencontra et discuta avec tous ceux qu'il est utile de connaître – des hommes dont les noms font le tour du monde – et vit encore plus de choses qu'il n'en révéla. Des universités réputées lui décernèrent des diplômes honorifiques et il fit des conférences. Il parla des réformes sociales en Inde à des dames en robes de soirée, jusqu'à ce que tout Londres s'exclamât : "Nous n'avons jamais eu à dîner de convives plus exquis."

Quand il retourna en Inde, il était au faîte de sa gloire, car le Vice-Roi lui-même se déplaça tout spécialement pour conférer au Maharajah la Grand-Croix de l'Etoile des Indes, faite de diamants, de rubans et d'émaux ; et, au cours de cette cérémonie, pendant que le canon tonnait, Purun Dass fut fait Commandeur de l'Ordre de l'Empire des Indes ; si bien que son nom devint Sir Purun Dass, K.C.I.E.

Ce soir-là, lors du dîner qui se tint sous la grande tente du Vice-Roi, il se leva, la plaque et le collier de l'Ordre sur la poitrine, et, répondant au toast porté à la santé de son maître, prononça un discours que peu d'Anglais auraient pu faire.

---

7. **learned**: *instruit, cultivé, docte.*
8. **fascinating** = **very charming, attractive or interesting**.
9. m. à m. : "*que nous ayons rencontré à dîner depuis que la première nappe à été mise.*"
10. Lit. : " *un rayonnement de gloire*". → **blaze** = **a sparkling brightness** ex. : **a blaze of jewels.**
11. **enamel**: *émail.*
12. Initiales de **Knight Commander of the Indian Empire**.
13. **badge**: *insigne, plaque.*

Next month, when the city had returned to its sun-baked[1] quiet, he did a thing no Englishman would have dreamed of doing; for, so far as the world's affairs went, he died. The jewelled order of his knighthood went back to the Indian Government, and a new Prime Minister was appointed to the charge of affairs, and a great game of General Post began in all the subordinate appointments[2]. The priests knew what had happened, and the people guessed; but India is the one[3] place in the world where a man can do as he pleases and nobody asks why; and the fact that Dewan Sir Purun Dass, K.C.I.E., had resigned[4] position, palace, and power, and taken up[5] the begging[6]-bowl and ochre-coloured dress of a Sunnyasi[7], or holy man, was considered nothing extraordinary. He had been, as the Old Law recommends, twenty years a youth, twenty years a fighter,—though he had never carried a weapon in his life,—and twenty years head of a household. He had used his wealth and his power for what he knew both to be worth; he had taken honour when it came his way[8]; he had seen men and cities far and near, and men and cities had stood up and honoured him. Now he would let those things go, as a man drops the cloak[9] he no longer needs.

Behind him, as he walked through the city gates, an antelope skin and brass-handled crutch under his arm, and a begging-bowl of polished brown *coco-de-mer*[10] in his hand, barefoot, alone, with eyes cast on the ground—behind him they were firing salutes from the bastions[11] in honour of his happy successor.

---

1. **sun-baked**: *brûlé par le soleil.*
2. lit. : *"les nominations subalternes".*
3. **the one**: *l'unique.*
4. **to resign**: *démissionner.*
5. cf. : **to take up arms**: *prendre les armes.*
6. **to beg**: *mendier.* → **a beggar**: *un mendiant.*
7. Un sunnyasi (orthographié normalement sannyasi) est dans l'hindouisme un mendiant qui mène une vie ascétique et errante.

Le mois suivant, quand la ville se fut à nouveau assoupie sous la chaleur, il fit une chose qui ne serait venu à l'idée d'aucun Anglais ; en effet, il se retira du monde et mit fin à toute vie sociale. Il remit ses précieuses médailles au gouvernement indien, on confia la charge des affaires à un nouveau Premier Ministre et la chasse aux postes d'administrateurs fut déclarée ouverte. Les prêtres savaient ce qui s'était passé et les gens l'imaginaient ; mais l'Inde est le seul pays au monde où un homme peut faire ce qui lui plait sans que personne ne demande pourquoi ; et personne ne trouva extraordinaire que Dewan Sir Purun Dass, K.C.I.E., ait renoncé à son poste, à son palais et à son pouvoir pour prendre la sébile du mendiant et revêtir la robe ocre du sage que l'on appelle Sunnyasi. Comme le recommande l'Ancienne Loi, il avait été jeune pendant vingt ans, s'était battu pendant vingt ans – bien qu'il n'eût jamais porté une arme de sa vie – et avait été chef de famille pendant vingt ans Il avait fait usage de sa fortune et de son pouvoir, en ne leur accordant que l'importance qu'il savait qu'ils méritaient ; il avait accepté les honneurs quand on lui en avait faits ; il avait vu des hommes et des villes ici et à l'étranger, et les hommes et les villes s'étaient levés pour l'honorer. A présent, il se débarrassait de tout cela, comme on se dépouille de vêtements dont on n' a plus besoin.

Juste au moment où, seul, les pieds nus et les yeux baissés vers le sol, il franchissait les portes de la ville avec une peau d'antilope et une béquille à poignée de cuivre sous le bras et un bol à aumones, en coco-de-mer, brun et poli, à la main, on entendait tirer derrière lui les salves d'honneur qui accueillaient son bienheureux successeur.

---

8. **it comes your way**: *cela se présente à vous.*

9. **cloak**: *cape; manteau sans manches.*

10. Le cocotier de mer est un palmier originaire de l'océan indien, qui produit une grosse noix verte dans laquelle il y a d'énormes graines qui sont de couleur marron et qui ont la forme d'un postérieur de femme.

11. Un bastion est un grand espace disposé en pointe sur les angles saillants des places fortifiées.

Purun Dass nodded. All that life was ended; and he bore it no more ill-will[1] or good-will[2] than a man bears to a colourless dream of the night. He was a Sunnyasi—a houseless, wandering[3] mendicant, depending on his neighbours for his daily bread; and so long as there is a morsel to divide in India, neither priest nor beggar starves. He had never in his life tasted meat, and very seldom eaten even fish. A five-pound note would have covered his personal expenses[4] for food through any one of the many years in which he had been absolute master of millions[5] of money. Even when he was being lionized[6] in London he had held before him his dream of peace and quiet—the long, white, dusty Indian road, printed all over with bare feet, the incessant, slow-moving traffic, and the sharp-smelling wood smoke curling up under the fig-trees in the twilight, where the wayfarers[7] sit at their evening meal.

When the time came to make that dream true the Prime Minister took the proper steps[8], and in three days you might more easily have found a bubble in the trough[9] of the long Atlantic seas than Purun Dass among the roving[10], gathering, separating millions of India.

At night his antelope skin was spread where the darkness overtook[11] him—sometimes in a Sunnyasi monastery by the roadside; sometimes by a mud-pillar shrine[12] of Kala Pir, where the Jogis[13], who are another misty division of holy men, would receive him as they do those who know what castes and divisions are worth;

---

1. **ill-will = unkind feeling** (*malveillance*).
2. **good-will**: *bonne volonté*.
3. **to wander**: *errer*.
4. m. à m. "*dépenses personnelles*"
5. Attention : **million** est toujours sauf quand il est comme ici indéfini et suivi de **of**.
6. **to lionize = to treat as a celebrity**.
7. **wayfarer = one who travels, especially on foot**.
8. **to take the proper steps**: *prendre les mesures appropriées*.

Purun Dass hocha la tête. Pour lui cette vie était terminée ; et il en était sorti, comme on sort d'un rêve, sans amertume ni satisfaction. C'était maintenant un Sunnyasi – un mendiant errant, sans abri, tributaire des autres pour son pain quotidien ; et, en Inde, tant qu'il y a un morceau de pain à partager, le prêtre et le mendiant ne souffrent pas de la faim. Il n'avait jamais mangé de viande de sa vie, et, très rarement, de poisson. Un billet de cinq livres aurait suffi à couvrir ses dépenses de nourriture de l'année à l'époque où il avait des millions de livres à sa disposition. Même quand on l'adulait à Londres il rêvait à un état d'harmonie et de quiétude – à l'Inde, et à ses longues routes, blanches et poudreuses, couvertes d'empreintes de pieds nus, où la circulation était lente et continue et à l'âpre odeur des feux de bois dont la fumée monte en volutes sous les figuiers, au crépusucule, et près desquels les voyageurs s'asseyent pour prendre leur repas du soir.

Quand vint l'heure de réaliser ce rêve, le Premier Ministre fit le nécessaire et trois jours plus tard il aurait été plus facile de retrouver une bulle dans la longue houle de l'Océan Atlantique que Purun Dass parmi les millions de vagabonds qui vont et viennent, s'assemblent et se séparent sur les routes des Indes.

La nuit, il étalait sa peau d'antilope là où la nuit le surprenait, dans un monastère de Sunnyasis sur le bord de la route ou près des piliers de terre d'un autel à Kala Pir, où les Yogis, encore un autre genre de religieux, le recevaient comme ils accueuillent ceux qui savent la valeur que l'on doit accorder aux castes et aux places.

---

9. **a trough** [trʌf] = **any long depression or hollow as between two ridges of waves**.

10. **to rove**: *errer, sillonner.*

11. **to overtake**: *dépasser, rattraper.*

12. **a shrine**: *un sanctuaire.*

13. Orthographié normalement yogi, c'est le nom donné à celui qui pratique ou enseigne le yoga. Le yoga est une discipline hindoue qui vise par les exercices physiques, la méditation et l'ascèse à atteindre la sérénité physique et spirituelle.

sometimes on the outskirts of a little Hindu village, where the children would steal[1] up with the food their parents had prepared; and sometimes on the pitch[2] of the bare grazing-grounds, where the flame of his stick[3] fire waked the drowsy camels. It was all one to Purun Dass—or Purun Bhagat[4], as he called himself now. Earth, people, and food were all one. But unconsciously his feet drew him away northward and eastward; from the south to Rohtak; from Rohtak to Kurnool; from Kurnool to ruined Samanah, and then up-stream along the dried bed of the Gugger river that fills only when the rain falls in the hills, till one day he saw the far line of the great Himalayas.

Then Purun Bhagat smiled, for he remembered that his mother was of Rajput[5] Brahmin birth, from Kulu way—a Hill-woman, always home-sick for the snows— and that the least touch of Hill blood draws a man in the end back to where he belongs.

'Yonder,' said Purun Bhagat, breasting the lower slopes of the Sewaliks[6], where the cacti stand up like seven-branched candlesticks—'yonder I shall sit down and get knowledge'; and the cool wind of the Himalayas whistled about his ears as he trod the road that led to Simla[7].

The last time he had come that way it had been in state[8], with a clattering[9] cavalry escort, to visit the gentlest[10] and most affable of Viceroys; and the two had talked for an hour together about mutual friends in London, and what the Indian common folk really thought of things.

---

1. **to steal** = to come secretely or unobserved.

2. **a pitch** = a sloping part or place.

3. **a stick**: *un bâton*.

4. bhagat désigne en hindi lun homme pieux ; qui ne consomme ni viande ni alcool.

5. Les Rajpoutes forment la majorité des habitants du Rajahstan, appelé autrefois Râjputâna. Le Rajasthan (pays des rois) est un Etat de l'Ouest de l'Inde,dont la capitale est Jaïpur.

6 Les monts Siwaliks se trouvent au sud de la plus jeune chaîne Est-Ouest de l'Himalaya. Ils vont du Sikkim au Nord du pakistan en passant par le Népal et le Cachemire.

Parfois encore, à l'entrée d'un petit village où les enfants venaient, en catimini, lui apporter la nourriture préparée par leurs parents ; et, d'autres fois, sur les pentes pelées des pâturages où les flammes de son feu de bois mort réveillaient les chameaux assoupis. Qu'importait à Purun Dass – ou plutôt à Purun Bhagat, comme il se faisait appeler maintenant. La terre, les gens et la nourriture, tout se valait pour lui. Mais inconsciemment, ses pas le portaient vers le Nord et l'Est ; du Sud vers Rohtak ; de Rohtak à Kurnoul ; de Kurnoul aux ruines de Samanah, puis il suivit le lit desséché du Gugger, qui ne se remplit que quand la pluie tombe sur la montagne, jusqu'au jour où il aperçut dans le ciel la ligne lointaine des grans Himalayas.

Purun Baghat sourit alors car il se souvint que sa mère était une brahmane rajpoute de naissance, de la région de Kulu – une montagnarde, qui avait toujours la nostalgie des neiges – et que quand un homme a le moindre sang montagnard dans les veines, il ne peut résister à l'appel des hauteurs.

– Là-bas, dit Purun Bhagat, en gravissant les premiers contreforts des Siwaliks, où les cactus se dressent comme des chandeliers à sept branches – à-bas je me reposerai et apprendrai la sagesse ; et le vent frais de l'Himalaya lui sifflait aux oreilles comme il cheminait sur la route qui menait à Simla.

La dernière fois qu'il avait pris ce chemin, c'était en grande pompe, accompagné des bruits de sabots d'une escorte de cavalerie, pour rendre visite au plus courtois et au plus affable des vice-rois ; et tous deux avaient conversé pendant une heure, à propos d'amis communs qu'il avaient à Londres, et de ce que la masse du peuple indien pensait réellement du cours des choses.

---

7. Simla est l'ancien nom de Shimla, qui est la capitale de l'Himachal Pradesh au Nord de l'Inde. Cette ville de plus de 100 000 habitants est située à plus de 2000 m d'altitude et a joué un rôle important à l'époque de l'empire britannique.

8. **state** a ici le sens de "**ceremony, pomp**"

9. **to clatter**: *cliqueter*.

10. **gentle** = **polite, refined**.

This time Purun Bhagat paid no calls, but leaned on the rail of the Mall[1], watching that glorious view of the Plains spread out forty miles below, till a native Mohammedan policeman told him he was obstructing traffic; and Purun Bhagat salaamed[2] reverently to the Law, because he knew the value of it, and was seeking for a Law of his own. Then he moved on, and slept that night in an empty hut at Chota Simla, which looks like the very last end of the earth, but it was only the beginning of his journey.

He followed the Himalaya-Thibet road, the little ten-foot track that is blasted out of solid rock, or strutted[3] out on timbers over gulfs a thousand feet deep; that dips into warm, wet, shut-in valleys, and climbs out across bare, grassy hill-shoulders[4] where the sun strikes like a burning-glass[5]; or turns through dripping[6], dark forests where the tree-ferns[7] dress[8] the trunks from head to heel, and the pheasant calls to his mate. And he met Thibetan herdsmen with their dogs and flocks of sheep, each sheep with a little bag of borax[9] on his back, and wandering wood-cutters, and cloaked and blanketed Lamas from Thibet, coming into India on pilgrimage, and envoys of little solitary Hill-states, posting[10] furiously on ring-streaked and piebald[11] ponies, or the cavalcade of a Rajah paying a visit; or else for a long, clear[12] day he would see nothing more than a black bear grunting and rooting[13] below in the valley.

---

1. Le mot **mall** désigne courammant maintenat une galerie marchande.

2. **a salaam = a very low bow with the palm of the right hand placed on the forehead.**

3. **strut:** *entretoise.* → **to strut (out)= to support by means of a strut.**

4. **shoulder = shoulderlike projection**

5. **a burning glass = a converging glass used to produce heat or ignite substances by focusing the sun's rays.**

6. **dripping** indique que des gouttes d'eau tombent des arbres.

7. **tree fern** : *grande fougère tropicale.*

8. **to dress** = *to ornament, to adorn.*

Cette fois-ci, Purun Bhagat ne fit pas de visites, mais, mais appuyé sur la balustrade du mail, il contemplait le spectacle grandiose de la soixantaine de kilomètres de grandes plaines qui s'étendaient à ses pieds, lorsqu'un policier musulman vint lui dire qu'il gênait la circulation. Purun Bhagat s'inclina avec un salaam respectueux devant la Loi, car il en connaissait le prix, etait à la recherche de sa propre Loi. Puis il poursuivit sa route, et passa la nuit dans une cabane vide à Chota Simla, un endroit où l'on se croirait au bout du monde; mais ce n'était que le commencement de son voyage.

Il suivit la route qui mène de l'Himalaya au Tibet, un étroit chemin de trois mètres de large, taillé à coup de mines et qui parfois enjambe sur des passerelles de bois des précipices de trois cent mètres de haut, qui plonge par moments dans des vallées encaissées, humides et chaudes, et, à d'autres, grimpe à travers les arêtes déboisées couvertes d'herbe que les rayons du soleil frappent comme une loupe; ou bien qui serpente dans des forêts sombres, dans la moiteur des arbres dont les troncs sont entièrement recouverts de fougères parasites et où le faisan, au printemps, appelle sa compagne. Il rencontra des bergers tibétains avec leurs chiens et leur troupeau ; chaque mouton portant sur le dos un petit sac de borax ; des bûcherons itinérants, et des lamas du Tibet, enveloppés de manteaux et de couvertures, parcourant l'Inde en pélerinage, et des émissaires de petits Etats perdus dans la montagne, qui chevauchaient impétueusement sur des poneys zébrés ou pie, ou la cavalcade d'un rajah en visite. Ou bien, il restait une longue et claire journée à n'apercevoir rien d'autre qu'un ours brun qui grognait en grattant le sol, au fond de la vallée.

---

9. Le borax, appelé aussi borate de sodium, est un minerai que l'on trouve généralement dans d'anciens lacs asséchés où l'eau s'est évaporée. Il est utilisé pour la décoration des porcelaines et la fabrication d'engrais et de pesticide. Il sert aussi aux verriers et aux chaudronniers.

10. **to post** = **to travel with speed**.

11. **piebald** = **having patches of black and white or other colours**.

12. **clear** = **cloudy**.

13. **to root**: *retourner le sol avec son museau.*

When he first started, the roar of the world he had left still rang[1] in his ears, as the roar of a tunnel rings long after the train has passed through; but when he had put the Mutteeanee Pass behind him that was all done, and Purun Bhagat was alone with himself, walking, wondering[2], and thinking, his eyes on the ground, and his thoughts with the clouds.

One evening he crossed the highest pass he had met till then—it had been a two-day's climb—and came out on a line of snow-peaks that banded[3] all the horizon—mountains from fifteen to twenty thousand feet[4] high, looking almost near enough to hit with a stone, though they were fifty or sixty miles[5] away. The pass was crowned with dense, dark forest—deodar, walnut[6], wild cherry, wild olive, and wild pear, but mostly deodar, which is the Himalayan cedar; and under the shadow of the deodars stood a deserted shrine to Kali[7]—who is Durga, who is Sitala, who is sometimes worshipped against the smallpox[8].

Purun Dass swept the stone floor clean, smiled at the grinning[9] statue, made himself a little mud fireplace at the back of the shrine, spread his antelope skin on a bed of fresh pine-needles, tucked[10] his *bairagi*—his brass-handled crutch—under his armpit, and sat down to rest.

Immediately below him the hillside fell away[11], clean[12] and cleared[13] for fifteen hundred feet, where a little village of stone-walled houses, with roofs of beaten earth, clung to the steep tilt[14].

---

1. **to ring, rang, rung** : *sonner, résonner.*
2. **to wonder** = **to be filled with admiration or amazement**.
3. **to band** = **to mark or decorate with a band**.
4. **1 foot** = 30,48 cm.
5. **1 mile** = 1,609 km.
6. **walnut** (*noix*) a ici le sens de **walnut-tree**.
7. Dans la religion hindoue, Kali est, comme Durga et Parvati, une représentation de la déesse-mère, Shakti. Les dieux ont fait appel à elle pour vaincre le démon, c'est pourquoi elle est représentée sous une forme terrifiante. Elle a les yeux et la langue rouges, la peau noire, plusieurs bras et le cou ceint d'une guirlande de crânes.

Dans les premiers temps qui suivirent son départ, la rumeur du monde qu'il laissait derrière lui résonnait encore dans ses oreilles, comme on perçoit encore l'écho du roulement d'un train dans un tunnel longtemps après son passage ; et, une fois franchi le col de Mutteeanee, ce fut fini, et Purun Bhagat se retrouva seul avec lui-même, marchant, s'émerveillant, et songeant les yeux fixés à terre, et les pensées parmi les nuages.

Un soir, il passa le col le plus haut qu'il ait jamais rencontré – après deux jours d'ascension il déboucha sur une chaîne de sommets enneigés qui ceignait l'horizon – des pics de cinq à six mille mètres de haut, qu'on eût dit à un jet de pierre, bien qu'ils fussent à soixante-dix ou quatre-vingts kilomètres de distance. Une forêt sombre et épaisse – déodars, noyers, merisiers, oliviers et poiriers sauvages, mais principalement des déodars qui sont les cèdres de l'Himalaya – couronnait ce défilé. Et, à l'ombre des déodars, se dressait un sanctuaire abandonné, naguère dédié à Kali – appelée aussi Durga, ou Sitala et que l'on prie parfois pour guérir de la petite vérole.

Purun Dass balaya les dalles de pierre, adressa un sourire à la statue grimaçante, se construisit un petit âtre de terre derrière le sanctuaire, étendit sa peau d'antilope sur un lit d'aiguilles de pin fraîches, remonta sous son aisselle son *bairagi* – la béquille à poignée de cuivre – et s'assit pour se reposer.

Juste en dessous de lui, le flanc de la montagne, net et dégagé, descendait en pente sur cinq cents mètres jusqu'à un petit village avec des maisons de pierre aux toits de terre battue, qui qui était accroché au versant escarpé.

---

8. La petite vérole ou variole, est une maladie infectieuse d'origine virale, très contagieuse et épidémique. Elle faisait des ravages à l'époque et pouvait provoquer la mort.

9. **to grin = to draw back the lips so as to show the teeth.**

10. **to tuck**: *ranger, caler, insérer.* ex. : **to tuck the edge of the sheet under the mattress.**

11. **to fall away = to decline.**

12. **clean = free from roughness or irregularity.**

13. **cleared = unobstructed.**

14. **a tilt = a slope.**

All round it the tiny terraced fields lay out[1] like aprons of patchwork[2] on the knees of the mountain, and cows no bigger than beetles grazed between the smooth stone circles of the threshing-floors[3]. Looking across the valley, the eye was deceived by the size of things, and could not at first realise that what seemed to be low scrub[4], on the opposite mountain-flank, was in truth a forest of hundred-foot pines. Purun Bhagat saw an eagle swoop[5] across the gigantic hollow[6], but the great bird dwindled[7] to a dot ere[8] it was half-way over. A few bands of scattered clouds strung[9] up and down the valley, catching on a shoulder of the hills, or rising up and dying out when they were level with[10] the head of the pass. And 'Here shall I find peace,' said Purun Bhagat.

Now, a Hill-man makes nothing[11] of a few hundred feet up or down, and as soon as the villagers saw the smoke in the deserted shrine, the village priest climbed up the terraced hillside to welcome the stranger.

When he met Purun Bhagat's eyes—the eyes of a man used to control thousands—he bowed to the earth, took the begging-bowl without a word, and returned to the village, saying, 'We have at last a holy man. Never have I seen such a man. He is of the Plains—but pale-coloured—a Brahmin of the Brahmins.' Then all the housewives of the village said, 'Think you he will stay with us?' and each did her best to cook the most savoury meal for the Bhagat.

---

1. **lay out** = were placed.
2. **patchwork** = work made of pieces of cloth of various colours or shapes sewed together.
3. **to thresh**: *battre au fléau* cf. : **to give sb a threshing**: *flanquer une volée à qn.*
4. **scrub**: *brousse, broussailles.*
5. **to swoop** = to sweep through the air.

Tout autour, de minuscules champs en terrasses s'étendaient comme un tablier rapiécé, jeté sur les genoux de la montagne, et des vaches, pas plus grosses que des scarabées, paissaient entre entre petites places circulaires en pierre où l'on battait le blé. Quand on parcourait la vallée du regard, on était trompé par la dimension des choses, et l'on ne se rendait pas compte tout de suite que ce que l'on prenait pour des broussailles, sur le versant opposé de la montagne, était en réalité une forêt de sapins de trente mètres de haut. Purun Bhagat vit un aigle survoler l'immense précipice mais le grand oiseau n'en avait pas parcouru la moitié qu'il n'était déjà plus qu'un point noir. Par bancs, de rares nuages s'éparpillaient au dessus de la vallée, se suspendant à un promontoire ou s'élevant pour s'effacer quand ils atteignaient le sommet du col.

– C'est ici que je trouverai la paix, se dit Purun Bhagat.

Mais pour un montagnard qu'est-ce qu'une centaine de mètres de montée ou de descente. Aussi, dès que les villageois aperçurent de la fumée dans le temple abandonné, leur prêtre escalada les terrasses du versant pour souhaiter la bienvenue à l'étranger.

Quand son regard croisa celui de Purun Bhagat, qui avait l'habitude d'en toiser des multitudes, il s'inclina jusqu'à terre, prit la sébile sans un mot, et retourna au village, en disant:

– Nous avons enfin un saint homme. Jamais je n'ai vu un homme pareil. Il vient de la plaine mais a le teint pâle, c'est le Brahmane des Brahmanes.

Puis toutes les femmes du village lui demandèrent

– Pensez-vous qu'il va rester chez nous?

Et chacune d'entre elles s'efforça de lui préparer les mets les plus savoureux.

---

6. **a hollow** = **a valley.**
7. **to dwindle** = **to become smaller and smaller.**
8. **ere** [εə] = **before.**
9. **to string (strung, strung):** *s'aligner ; se mettre en enfilade.*
10. **level with**: *à la hauteur de ; au niveau de.*
11. **to make nothing of** = **to regard as easy.**

Hill-food is very simple, but with buckwheat[1] and Indian corn[2], and rice and red pepper, and little fish out of the stream in the valley, and honey from the flue-like[3] hives built in the stone walls, and dried apricots, and turmeric[4], and wild ginger, and bannocks[5] of flour, a devout[6] woman can make good things, and it was a full bowl that the priest carried to the Bhagat. Was he going to stay? asked the priest. Would he need a chela—a disciple—to beg for him? Had he a blanket against the cold weather? Was the food good?

Purun Bhagat ate, and thanked the giver. It was in his mind to stay. That was sufficient, said the priest. Let the begging-bowl be placed outside the shrine, in the hollow made by those two twisted roots, and daily should the Bhagat be fed; for the village felt honoured that such a man—he looked timidly into the Bhagat's face—should tarry[7] among them.

That day saw the end of Purun Bhagat's wanderings[8]. He had come to the place appointed for him—the silence and the space. After this, time stopped, and he, sitting at the mouth of the shrine, could not tell whether he were[9] alive or dead; a man with control of his limbs, or a part of the hills, and the clouds, and the shifting[10] rain and sunlight. He would repeat a Name softly to himself a hundred hundred times, till, at each repetition, he seemed to move more and more out of his body, sweeping up[11] to the doors of some tremendous discovery;

---

1. **buckwheat**: *sarrasin, blé noir.*
2. **Indian corn**: *maïs.*
3. **Flue**: *conduite, tuyau de cheminée.*
4. **turmeric**: *curcuma, safran des Indes.*
5. **a bannock**: galette faite avec de la farine de blé noir, d'avoine ou d'orge et cuite sur une plaque chauffée.
6. **devout** [dɪ'vəut] : *dévot ; sincère.*
7. **to tarry** (littéraire): *demeurer ; rester.*

La nourriture, dans la montagne, est très simple, mais à l'aide de sarrasin et de maïs, de riz et de poivre rouge, de petits poissons pêchés au torrent de la petite vallée, de miel tiré des ruches en forme de cheminées faites dans les murs de pierres, ainsi que d'abricots secs, de safran, de gingembre sauvage, et de galettes de blé, une femme pieuse peut cuisiner de bonnes choses, et le prêtre apporta au Bhagat une écuelle copieusement remplie.

Allait-il rester ? lui demanda le prêtre. Avait-il besoin d'un chela – un disciple – qui ferait la quête pour lui ? Avait-il une couverture pour se protéger du froid ? La nourriture était-elle bonne ?

Purun Bhagat mangea, et remercia le donateur. Il avait, dit-il, l'intention de rester. Le prêtre répondit que cela leur suffisait. Il n'avait qu'à laisser le bol d'offrandes à l'extérieur du temple, dans le creux, entre les deux racines tordues, et chaque jour, le Bhagat recevrait sa nourriture, car, et très impressionné il dit cela en le regardant dans les yeux, le village s'estimait honoré qu'un tel homme daigne rester à leurs côtés.

Ce jour là marqua la fin des périgrinations de Purun Bhagat. Il avait atteint le lieu qui lui était destiné, au milieu du silence et des grands espaces. Alors, le temps s'arrêta, et lui, assis à l'entrée du temple, ne pouvait dire s'il était vivant ou mort, s'il était maître de ses membres, ou s'il faisait partie de la montagne, des nuages, de la pluie capricieuse et de la lumiière du soleil. Il allait, en répétant à voix basse une centaine de fois un nom, jusqu'à ce qu'à force d'être répété ce mot semble échapper à son corps, et l'amener à quelque révélation prodigieuse.

---

8. **wandering**: *errance ; déambulation.*

9. **were** est une forme de prétérit modal qui permet de renforcé l'aspect hypothétique de la supposition;

10. **shifting** = **continuously varying; changing position or direction**.

11. **to sweep up** (v.i.): *décrire une courbe, s'envoler, s'élancer, monter.*

but, just as the door was opening, his body would drag[1] him back, and, with grief, he felt he was locked up again in the flesh and bones of Purun Bhagat.

Every morning the filled begging-bowl was laid silently in the crutch[2] of the roots outside the shrine. Sometimes the priest brought it; sometimes a Ladakhi[3] trader, lodging in the village, and anxious to get merit[4], trudged[5] up the path; but, more often, it was the woman who had cooked the meal overnight; and she would[6] murmur, hardly above her breath: 'Speak for me before the gods, Bhagat. Speak for such a one, the wife of so-and-so!' Now and then some bold child would be allowed the honour, and Purun Bhagat would hear him drop the bowl and, run as fast as his little legs could carry him, but the Bhagat never came down to the village. It was laid out like a map at his feet. He could see the evening gatherings[7], held on the circle of the threshing-floors, because that was the only level ground; could see the wonderful unnamed[8] green of the young rice, the indigo blues of the Indian corn, the dock-like[9] patches of buckwheat, and, in its season, the red bloom of the amaranth[10], whose tiny seeds, being neither grain[11] nor pulse[12], make a food that can be lawfully eaten by Hindus in time of fasts.

When the year turned, the roofs of the huts were all little squares of purest gold, for it was on the roofs that they laid out their cobs[13] of the corn to dry.

---

1. **to drag**: *traîner, tirer, entraîner.*

2. **crutch** = **crotch** : *fourche.*

3. Ladakhi : originaire du Ladakh, une région qui occupe la moitié Est de l'Etat indien du Jammu-Kashmir, célèbre pour ses paysages montagneux et sa culture bouddhiste. On l'appelle parfois le 'Petit Tibet'.

4. **merit** = *claim to respect and praise.*

5. **to trudge** : *marcher lourdement/ péniblement.*

6. **would** a ici une valeur fréquentative. Il indique que c'est comme ça que les choses se passaient habituellement.

Mais juste au moment où la porte s'ouvrait, son corps le ramenait à la terre, et, il éprouvait la douleur de se senir enfermé dans la chair et les os de Purun Bhagat.

Chaque matin, il trouvait une écuelle remplie entre la fourche des racines, à l'extérieur du temple. Parfois le prêtre la lui apportait lui-même ; parfois un marchand du Ladakh, qui logeait au village et tenait à gagner des grâces, gravissait le sentier ; mais, le plus souvent, c'était la femme qui avait préparé le repas la nuit précédente ; et elle murmurait d'un souffle "Parle pour moi devant les Dieux, Bhagat. Parle aussi pour une telle, la femme d'Untel !" De temps en temps, on confiait cet honneur à quelque enfant plus hardi, et Purun Bhagat l'entendait déposer vivement l'écuelle et s'enfuir aussi vite que ses petites jambes pouvaient le porter, mais le Bhagat ne descendait jamais au village. Celui-ci s'étendait à ses pieds comme une carte géographique. De là-haut il pouvait contempler les villageois assemblés le soir sur l'aire de battage, qui était le seul endroit plat du village ; le vert unique et merveilleux du jeune riz en herbe, les tons bleu indigo du maïs, les rectangles de sarrasin, et, quand c'était la saison, les fleurs rouges d'amaranthe dont les semences minuscules, ni graine ni légume, constituent une nourriture que les Hindous sont autorisés à consommer en période de jeûne.

A l'arrière-saison, le toit des huttes devenait un peit carré de l'or le plus pur, car c'était sur les toits qu'ils mettaient à sécher leurs épis de maïs.

---

7. **a gathering**: *une assemblée.* → **to gather**: *rassembler.*

8. **unnamed**: qui n'a jaais eu de nom dans aucune langue.

9. **dock-like**: qui a la forme d'un bassin.

10 L'amaranthe est unbe plante herbacée qui pousse souvent dans les terrains vagues et qui peut porter jusqu'à 80 000 graines par pied.

11. **grain**: *grain* (de céréale).

12. **pulse**: *plante légumineuse ; légumes à gousse.*

13. Le maïs mangé sur l'épi (**corn on the cob**) est un mets très populaire aux Etats-Unis.

Hiving[1] and harvest, rice-sowing and husking[2], passed before his eyes, all embroidered[3] down there on the many-sided plots[4] of fields, and he thought of them all, and wondered what they all led[5] to at the long last[6].

Even in populated India a man cannot a day sit still before the wild things run over him as though he were a rock; and in that wilderness very soon the wild things, who knew Kali's Shrine well, came back to look at the intruder. The *langurs*[7], the big gray-whiskered monkeys of the Himalayas, were, naturally, the first, for they are alive with curiosity; and when they had upset the begging-bowl, and rolled it round the floor, and tried their teeth on the brass-handled crutch, and made faces at the antelope skin, they decided that the human being who sat so still was harmless[8]. At evening, they would leap[9] down from the pines, and beg with their hands for things to eat, and then swing[10] off in graceful curves[11]. They liked the warmth of the fire, too, and huddled[12] round it till Purun Bhagat had to push them aside to throw on more fuel; and in the morning, as often as not, he would find a furry ape[13] sharing his blanket. All day long, one or other of the tribe would sit by his side, staring out at the snows, crooning[14] and looking unspeakably wise and sorrowful.

After the monkeys came the *barasingh*[15], that big deer which is like our red deer, but stronger.

---

1. **a hive**: *une ruche* ; *un essaim*. → **to hive = to store (honey) in a hive; to store for future use and enjoyment.**

2. **husk**: *enveloppe* (du riz), *bogue* (de la chataigne) → **to husk**: *décortiquer*.

3. **to embroider**: *broder ; enjoliver*. → **embroidery**: *broderie*

4. les lopins de terre (**plots**) qui se trouvent à flanc de montagne ont plusieurs côtés (**many-sided**).

5. **to lead, led, led**: *mener, conduire*.

6. **at long last = after much troublesome or frustrating delay**.

7. Le singe langur est la variété la plus courante en Inde.

8. **harmless ≠ harmful**.

9. **to leap (leapt, leapt)**: *sauter*. Peut aussi être régulier.

Les récoltes et leur mise en réserve, les semailles du riz et son décorticage se tissaient sous ses yeux comme une broderie sur le canevas des champs et il pensait à toutes ces choses en se demandant quel était l'aboutissement final du cycle des travaux et des jours des hommes.

Même dans l'Inde populeuse, un homme ne peut pas rester une journée assis tranquille sans que les bêtes sauvages ne courent sur son corps comme sur un rocher ; et dans cette solitude, les bêtes sauvages, qui connaissaient bien le temple de Kali, ne tardèrent pas à revenir épier l'intrus. Les *langurs,* ces grands singes à favoris gris de l'Himalaya, vinrent, naturellement, les premiers, dévorés qu'ils étaient par la curiosité ; et quand, après avoir renversé l'écuelle, ils l'eurent fait rouler tout autour de la pièce, ils se firent les dents sur la béquille à poignée de cuivre, et fait des grimaces à la peau d'antilope, ils décidèrent que l'être humain qui ne bougeait pas de là était inoffensif. Le soir, ils descendaient des pins en bondissant, et tendaient la main pour recevoir quelque nourriture, puis ils repartaient en faisant de gracieuses cabrioles. Ils aimaient aussi la chaleur du feu et se pressaient tout autour, jusqu'à ce que Purun Bhagat fût obligé de les pousser pour remettre du bois ; et le matin, la plupart du temps, il découvrait au réveil qu'un singe à fourrure grise avait partagé sa couche. Tout le long du jour, un membre ou l'autre de la tribu restait assis à ses côtés, les yeux fixés sur les neiges des sommets, à fredonner, avec un air de sagesse et de mélancolie indicible.

Après le singe vint le *barasingha.* C'est un grand cerf qui ressemble beaucoup au nôtre, mais en plus puissant.

---

10. **to swing**: *se balancer.* → **off** indique le changement de lieu. ex. : "**Be of with you!**": "*Déguerpissez !*"
11. **a curve**: *une courbe.*
12. **to huddle up**: *se serrer ; se recroqueviller.*
13. **ape** désigne n'importe quel primate mis à part les hommes, **monkey**, qui désigne les singes, est plus restrictif.
14. **to croon = to sing or hum in a soft voice; to utter a low murmuring sound..**
15. Le barasing(h)a, appelé aussi cerf de Duvaucel ou cerf des marais est un cervidé de l'Inde et du Népal.

He wished to rub off the velvet[1] of his horns against the cold stones of Kali's statue, and stamped[2] his feet when he saw the man at the shrine. But Purun Bhagat never moved, and, little by little, the royal stag edged up and nuzzled his shoulder. Purun Bhagat slid[3] one cool hand along the hot antlers, and the touch soothed the fretted beast, who bowed his head, and Purun Bhagat very softly rubbed and ravelled off[4] the velvet. Afterward, the *barasingh* brought his doe and fawn— gentle things that mumbled[5] on the holy man's blanket—or would come alone at night, his eyes green in the fire-flicker[6], to take his share of fresh walnuts. At last, the musk-deer[7], the shyest and almost the smallest of the deerlets[8], came, too, her big rabbity[9] ears erect; even brindled[10], silent *mushick-nabha[11]* must needs[12] find out what the light in the shrine meant, and drop out her moose-like nose into Purun Bhagat's lap, coming and going with the shadows of the fire. Purun Bhagat called them all 'my brothers,' and his low call of '*Bhai! Bhai!*' would draw them from the forest at noon if they were within earshot. The Himalayan black bear[13], moody and suspicious—Sona, who has the V-shaped white mark under his chin—passed that way more than once; and since the Bhagat showed no fear, Sona showed no anger, but watched him, and came closer, and begged a share of the caresses, and a dole[14] of bread or wild berries.

---

1. Chaque année, entre février et mai, le cerf perd ses bois. La repousse a lieu en été et le velours tombe généralement fin août et les bois atteignet leur plein développement en septembre pour la période du rut.

2. **to stamp = to beat the ground with the foot.**

3. **to slide, slid, slid**: *glisser, coulisser*.

4. **to ravel off = to unravel**: *se démêler*.

5. **to mumble = to talk indistinctly, in a low voice; to grind with the gums.**

6. **to flicker: clignoter, vaciller. → a flicker: une étincelle.**

7. Le daim musqué, appelé aussi chevrotain porte-musc est une espèce primitive vivant en particulier au Tibet et en Mongolie. Ce petit quadrupède se nourrit de buissons et de lichens.

Venu pour frotter ses bois contre les pierres froides de la statue de Kali pour en enlever le velours, il tressauta quand il vit l'homme au seuil du temple. Mais Purun Bhagat ne bougea pas, et, peu à peu, le Cerf royal s'avança et poussa son museau sous l'épaule de l'homme. Purun Bhagat glissa sa main fraîche le long des andouillers brûlants et sa caresse apaisa la frayeur de l'animal, qui courba la tête pendant que Purun Bhagat frottait le velours des bois et le détachait doucement. Par la suite, le barasingha amena sa femelle et son faon – bêtes gracieuses qui restaient à ruminer sur la couverture du saint homme – ou bien il venait seul, la nuit, prendre sa part d'un repas de noix fraîches tandis que les reflets de la flamme brillaient dans ses yeux verts. Enfin, le daim musqué, le plus craintif et le plus petit de sa race, vint aussi, avec ses grandes oreilles de lapin dressées ; même le *chital* silencieux, dans sa robe mouchetée, ne put réssister à l'envie de venir voir ce que signifiait cette petite lumière dans le temple et vint fourrer son museau d'élan dans le giron de Purun Bhagat, allant et venant comme les ombres du feu. Purun Bhagat les appelait tous "mes frères", et, même en plein jour, quand il criait doucement "Bhai ! Bhai !" tous ceux qui l'entendaient sortaient tous de la forêt. L'ours noir de l'Himalaya, taciturne et méfiant – Sona, qui porte sous le menton une marque blanche en forme de V – passa par là plus d'une fois ; et comme le Bhagat ne montrait pas de crainte, Sona ne montra pas de colère, mais l'observa, en s'approchant, et finit par demander sa part de caresses et sa ration de pain ou de baies sauvages.

---

8. **deerlet = a very small chevrotain of Java. It is about the size of a hare.**

9. **rabbity = rabbit-like.**

10. **brindled = gray with darker streaks or spots.**

11. Il s'agit probablement du *chital*, appelé aussi cerf axis ou cerf moucheté car sa robe est tachetée de points blancs. Comme c'est une des proies favorites des prédateurs comme le tigre ou le léopard, il est extrêmement craintif et vit souvent à proximité des arbres où nichent les singes langurs car les cris de ceux-ci l'avertissent du danger.

12. **needs** est un adverbe qui a le sens de "*nécessairement*".

13. L'ours noir d'Asie est parfois appelé ours à collier du Tibet

14. **a dole = a portion of food or money given at regular intervals by a charity or for maintenance.**

Often, in the still dawns[1], when the Bhagat would[2] climb to the very crest[3] of the pass to watch the red day walking along the peaks of the snows[4], he would find Sona shuffling[5] and grunting at his heels, thrusting a curious fore-paw under fallen trunks, and bringing it away[6] with a *whoof* of impatience; or his early steps would wake Sona where he lay curled up[7], and the great brute[8], rising erect, would think to fight, till he heard the Bhagat's voice and knew his best friend.

Nearly all hermits[9] and holy men who live apart from the big cities have the reputation of being able to work miracles with the wild things, but all the miracle lies in keeping still, in never making a hasty movement, and, for a long time, at least, in never looking directly at a visitor. The villagers saw the outline of the *barasingh* stalking[10] like a shadow through the dark forest behind the shrine; saw the *minaul*[11], the Himalayan pheasant, blazing[12] in her best colours before Kali's statue; and the *langurs* on their haunches, inside, playing with the walnut shells. Some of the children, too, had heard Sona singing to himself, bear-fashion, behind the fallen rocks, and the Bhagat's reputation as miracle-worker stood firm.

Yet nothing was farther from his mind than miracles. He believed that all things were one big Miracle, and when a man knows that much he knows something to go upon.

---

1. **dawn** [dɔːn]: *l'aube.*
2. **would** indique ici une action habituelle dans le passé.
3 **the crest**: *la crête.*
4. Il s'agit des neiges éternelles.
5. **to shuffle**: *traîner les pieds.*
6. **away** indique l'éloignement.
7. **curled up** : *avec les jambes / pattes repliées.*
8. **a brute** = **a nonhuman creature, a beast**.
9. **a hermit** = **a person who has withdrawn to a solitary place for a life of religious seclusion.**

Souvent, lorsque dans la paix de l'aube, le Bhagat montait jusqu'au sommet du col, pour contempler le matin pourpre en marche le long des pics neigeux, il apercevait Sona, trottinant et grognant sur ses talons, fourrant une patte curieuse sous les troncs d'arbres abattus, et la retirant avec un *ouaf* d'impatience ; ou bien ses courses matinales éveillaient Sona, roulé en boule sur le sol, et le monstre, dressé sur ses pattes arrières était prêt à attaquer, jusqu'à ce qu'il entendit la voix du Bhagat et reconnût son meilleur ami.

Presque tous les ermites et les saints hommes qui vivent loin des grandes villes ont la réputation de pouvoir accomplir des miracles avec les bêtes sauvages, mais tout le miracle consiste à se tenir coi, à ne jamais faire de mouvement brusque, et, pour un un temps assez long, au moins, à ne jamais regarder le visiteur en face. Les villageois aperçurent la silhouette du Barasingha traversant comme une ombre les profondeurs de la forêt qui s'étendait derrière le temple ; ils virent le faisan de l'Himalaya, faire resplendir ses plus belles couleurs devant la statue de Kali ; et les langurs, assis sur leur derrière, jouer à l'intérieur du temple avec des coquilles de noix. Certains des enfants avaient aussi entendu Sona fredonner, à la mode des ours, derrière un éboulis de roches, et la réputation du Bhagat, comme faiseur de miracles, était solidement établie.

Et pourtant, rien n'était plus éloigné de son esprit que l'idée même de miracle. Il pensait que tout n'était qu'un vaste miracle, et que, lorsqu'un homme sait au moins cela il sait où diriger ses pas.

---

10. **to stalk**: *avancer furtivement en quête d'une proie ; marcher avec raideur.*

11. Il ne s'agit pas de la téraogalle de l'Himalaya, un gallinacé de grande taille, qui est de couleur très terne mais plus probablement du paon bleu, qui appartient lui aussi à la famille des phasianidés mais qui est, lui, connu pour ses couleurs brillantes et sa queue magnifique.

12. **to blaze** = **to shine like flame; to be brilliantly conspicuous**.

He knew for a certainty that there was nothing great and nothing little in this world: and day and night he strove[1] to think out[2] his way into the heart of things, back to the place whence[3] his soul had come.

So thinking, his untrimmed[4] hair fell down about his shoulders, the stone slab at the side of the antelope skin was dented into a little hole by the foot of his brass-handled crutch, and the place between the tree-trunks, where the begging-bowl rested day after day, sunk[5] and wore[6] into a hollow almost as smooth as the brown shell[7] itself; and each beast knew his exact place at the fire. The fields changed their colours with the seasons; the threshing-floors filled and emptied, and filled again and again; and again and again, when winter came, the langurs frisked[8] among the branches feathered[9] with light snow, till the mother-monkeys brought their sad-eyed little babies up from the warmer valleys with the spring. There were few changes in the village. The priest was older, and many of the little children who used to come with the begging-dish sent their own children now; and when you asked of the villagers how long their holy man had lived in Kali's Shrine at the head of the pass, they answered, 'Always.'

Then came such summer rains[10] as had not been known in the Hills for many seasons. Through three good months the valley was wrapped in cloud and soaking mist—steady, unrelenting[11] downfall, breaking off into thunder-shower after thunder-shower.

---

1. **to strive, strove, striven**: *faire tout son possible, s'efforcer.*

2. **to think out** = **to devise by thinking** cf. : **to think out a plan.**

3. **whence** = **from what place, source, cause.**

4. **untrimmed**: *naturel ; non-entretenu.*

5. **to sink (sank, sunk)**: *s'affaisser, se creuser.*

6. **to wear (wore, worn)** = **to undergo gradual diminution / reduction.**

Il savait, avec certitude, qu'il n'y avait rien de grand, rien de petit en ce monde ; et nuit et jour il s'efforçait de rouver la voie qui le conduirait au cœur mystérieux des choses et le ramènerait ainsi au point d'où son âme était partie.

Songeant ainsi, ses cheveux, qu'il ne coupait plus, tombèrent sur ses épaules ; à côté de la peau d'antilope un petit trou entailla la dalle de pierre usée par le pied de sa béquille à manche de cuivre ; l'endroit entre les roncs d'arbre, où l'écuelle reposait chaque jour, se creusa pour former une cavité aussi lisse que la coque elle-même ; et chaque bête trouva sa place exacte auprès du feu. Les champs variaient de couleurs au fil des saisons ; les aires se remplissaient et se vidaient, encore et encore ; et à chaque nouvel hiver, les langurs s'ébattaient au milieu des branches couvertes d'une légère pelisse de neige, jusqu'au printemps quand les mères singes ramenaient du fond des vallées abritées leur nouveau-né au regard triste. Le village subissait peu de changements. Le prêtre avait vieilli, et, parmi les enfants qui avaient coutume d'apporter l'écuelle, beaucoup envoyaient, désormais, leurs propres fils ; et, quand on demandait aux villageois depuis combien de temps le saint homme habitait le temple de Kali, en haut du col, ils répondaient "Depuis toujours."

Un été, les pluies tombèrent avec une abondance qu'on n'avait pas connue depuis des années dans la montagne. Pendant trois bons mois, la vallée fut couverte de nuages et enveloppée d'une brume humide – une pluie drue et continue où les averses orageuses se succédaient sans relâche.

---

7. Il s'agit d'une coque de coco de mer

8. **to frisk** = **to dance, leap, frolic**.

9. La neige est comparée à des plumes qui recouvreraient les branches.

10. L'été est, en Inde, la saison des pluies.

11. **unrelenting**: *inexorable, implacable ; constant, permanent*.

Kali's Shrine stood above the clouds, for the most part[1], and there was a whole month in which the Bhagat never caught a glimpse[2] of his village. It was packed[3] away under a white floor of cloud that swayed[4] and shifted and rolled on itself and bulged[5] upward, but never broke from its piers[6] —the streaming flanks of the valley.

All that time he heard nothing but the sound of a million little waters, overhead from the trees, and underfoot along the ground, soaking through the pine-needles, dripping from the tongues of draggled[7] fern, and spouting in newly-torn muddy channels down the slopes. Then the sun came out, and drew forth[8] the good incense of the deodars and the rhododendrons[9], and that far-off, clean smell which the Hill people call 'the smell of the snows.' The hot sunshine lasted for a week, and then the rains gathered together for their last downpour, and the water fell in sheets that flayed[10] off the skin of the ground and leaped back in mud. Purun Bhagat heaped[11] his fire high that night, for he was sure his brothers would need warmth; but never a beast came to the shrine, though he called and called till he dropped asleep, wondering what had happened in the woods.

It was in the black heart of the night, the rain drumming like a thousand drums, that he was roused by a plucking[12] at his blanket, and, stretching out, felt the little hand of a *langur*. 'It is better here than in the trees,' he said sleepily, loosening[13] a fold of blanket; 'take it and be warm.'

---

1. **for the most part** = on the whole; generally; mostly.
2. **to catch a glimpse of**: *apercevoir, entrevoir.*
3. **to pack** = to wrap.
4. **to sway** = to move or swing to and fro.
5. **to bulge**: *gonfler ; enfler.*
6. **a pier** [pɪə]: *une jetée.* Se prononce comme **peer**, *pair.*
7. **to draggle** = to soil by dragging over damp ground or in mud.

Le temple de Kali restait, la plupart du temps, au dessus des nuages, et il se passa un mois entier avant que le Bhagat ne pût apercevoir son village un instant : il était enseveli sous une couche blanche de nuages qui oscillaient, se déplaçaient, roulaient sur eux-mêmes, grossissaient en s'élevant dans l'air mais ne rompaient jamais les amarres invisibles qui semblaient les retenir aux parois dégoulinantes de la vallée.

Tout ce temps il ne fit qu'entendre les murmures de l'eau par millions ; elle bruissait dans les arbres au dessus de sa tête et courait sur le sol sous ses pas, elle suintait sous les aiguilles de pin, dégouttait des feuilles boueuses des fougères et dévalait les flancs de la montagne dans les rigoles fangeuses qu'elle venait de creuser.

Puis le soleil parut, et dégagea le bon encens des déodars et des rhododendrons, et cette odeur lointaine et pure que les montagnards appellent "l'"odeur des neiges"". Le soleil chauffa la terre pendant une semaine, puis les pluies se rassemblèrent pour leur dernier déluge, et l'eau tomba en nappes qui faisaient de la terre une écorchée vive et rejaillissaient en boue. Purun Bhagat entassa du bois sur son feu cette nuit là, car li était sûr que ses frères auraient besoin de chaleur ; mais aucune bête ne s'approcha du temple, malgré ses appels réitérés, jusqu'au moment où il céda au sommeil tandis qu'il se demandait ce qui avait bien pu se passer dans les bois.

Ce fut au cœur de la nuit noire, la pluie résonnant comme un millier de tambours, qu'il fut réveillé. Il avait sentir qu'on tirait sur sa couverture et, en étendant le bras, avait touché la petite main d'un langur.

– Il fait meilleur ici que dans les bois, fit-il, encore tout ensommeillé, en entrouvrant un pli de sa couverture, prends et réchauffe-toi.

---

8. **to draw forth**: *faire éclore; tirer.*

9. Les rhododendrons poussent à l'état sauvage dans l'Himalaya.

10. **to flay**: *écorcher.*

11. **a heap**: *un tas.*

12. **to pluck** = **to give a pull at; grasp.**

13. **to loosen** ['lu:sn]: *desserrer ; décoincer.*

The monkey caught his hand and pulled hard. 'Is it food, then?' said Purun Bhagat. 'Wait awhile[1], and I will prepare some.' As he kneeled to throw fuel[2] on the fire the langur ran to the door of the shrine, crooned and ran back again, plucking at the man's knee.

'What is it? What is thy[3] trouble, Brother?' said Purun Bhagat, for the *langur's* eyes were full of things that he could not tell. 'Unless one of thy caste be in a trap—and none[4] set traps here—I will not go into that weather. Look, Brother, even the *barasingh* comes for shelter!'

The deer's antlers clashed[5] as he strode[6] into the shrine, clashed against the grinning statue of Kali. He lowered them in Purun Bhagat's direction and stamped uneasily, hissing through his half-shut nostrils.

'Hai! Hai! Hai!' said the Bhagat, snapping his fingers, 'Is *this* payment[7] for a night's lodging?' But the deer pushed him toward the door, and as he did so Purun Bhagat heard the sound of something opening with a sigh, and saw two slabs of the floor draw away from each other, while the sticky earth below smacked[8] its lips.

'Now I see,' said Purun Bhagat. 'No blame to my brothers that they did not sit by the fire to-night[9]. The mountain is falling. And yet—why should I go?' His eye fell on the empty begging-bowl, and his face changed.

---

1. L'adverbe **awhile** est orthographié en un seul mot. Après une préposition il peut s'orthographier en un seul mot ou en deux. ex. : **we rested for a while / awhile**.

2. **fuel = combustible matter used to maintain fire in order to create heat or power**. Il peut donc s'agir de bois autant que de pétrole, de charbon ou de gaz.

3. Notez la forme archaïque de la deuxième personne du singulier, caractéristique du langage religieux.

4. **none = no one, not one**.

Le singe le saisit par la main, et le tira violemment.

– Tu veux manger, alors ? dit Purun Bhagat. Attends un moment, et je vais te préparer quelque chose.

Comme il s'agenouillait pour alimenter le feu, le langur courut à la porte du temple, geignit, et revint en courant le tirer par les genoux.

– Qu'est-ce donc ? Quel est ton mal, mon Frère ? dit Purun Bhagat, car les yeux du *langur* étaient pleins de choses qu'il ne pouvait pas dire. A moins que l'un des tiens ne soit tombé dans un piège – et par ici personne ne tend de pièges – je ne sortirai pas par un temps pareil ! Regarde, Frère, le *barasingha* lui-même vient chercher un abri.

Les andouillers du cerf, comme il entrait à grands pas, vinrent cogner contre la statue de Kali. Il les abaissa dans la direction de Purun Bhagat et, inquiet, se mit à frapper du pied en soufflant par les naseaux.

– Haï ! Haï ! Haï ! fit le Bhagat, en faisant claquer ses doigts. Est-ce ainsi que l'on remercie pour le gîte d'une nuit ?

Mais le cerf le poussa vers la porte, et, comme il le poussait il entendit quelque chose s'ouvrir avec un soupir ; il vit alors deux dalles du pavage s'écarter l'une de l'autre, tandis que, par dessous, la terre gluante faisait du bruit avec la bouche.

– Je vois, maintenant, dit Purun Bhagat. On ne peut pas reprocher à mes frères ne pas être venus s'asseoir près du feu cette nuit. La montagne s'effondre. Et cependant – pourquoi m'en irais-je ?

Il posa les yeux sur le bol d'offrandes, et son visage changea d'expression.

---

5. **to clash = to make a loud, harsh noise; to collide.**

6. **to stride = to walk with long steps.**

7. **payment = recompense.**

8. **to smack = to close and open the lips smartly so as to produce a sharp sound, often as a sign of relish, as in eating.** L'image donne l'impression qu'un être monstrueux est en train d'engloutir la montagne.

9. **N.B. tonight** était, comme **tomorrow**, à l'époque, souvent orthographié avec un trait d'union.

'They have given me good food daily since—since I came, and, if I am not swift[1], to-morrow there will not be one mouth in the valley. Indeed[2], I must go and warn them below. Back there, Brother! Let me get to the fire.'

The *barasingh* backed unwillingly[3] as Purun Bhagat drove a pine torch deep into the flame, twirling[4] it till[5] it was well lit[6]. 'Ah! ye[7] came to warn me,' he said, rising, 'Better than that we shall do; better than that. Out, now, and lend me thy neck, Brother, for I have but two feet.'

He clutched the bristling withers[8] of the barasingh with his right hand; held the torch away with his left, and stepped out of the shrine into the desperate[9] night. There was no breath of wind, but the rain nearly drowned the flare as the great deer hurried down the slope, sliding on his haunches[10]. As soon as they were clear of the forest more of the Bhagat's brothers joined them. He heard, though he could not see, the *langurs* pressing about him, and behind them the uhh! uhh! of Sona. The rain matted[11] his long white hair into ropes; the water splashed beneath his bare feet, and his yellow robe clung[12] to his frail old body, but he stepped down steadily, leaning against the barasingh. He was no longer a holy man, but Sir Purun Dass, K.C.I.E., Prime Minister of no[13] small State, a man accustomed to command, going out to save life.

---

1. **swift = moving with great speed**.
2. **indeed = in fact, in truth**.
3. **unwillingly = reluctantly**.
4. **to twirl = to rotate rapidly**.
5. **till = until**.
6. **to light, lit, lit**: *allumer*.
7. **ye** est la forme archaïque du pronom sujet de la 2ᵉ personne du pluriel.
8. **withers (used with a plural verb) = the highest part of the back at the base of the neck of a horse, cow etc.**

– Ils m'ont bien nourri tous les jours depuis – depuis ma venue, et, si je manque de célérité, il n'y aura, demain, plus une bouche dans la vallée. Il faut absolument que j'aille, en bas, les prévenir. Recule-toi, Frère ! Laisse-moi m'approcher du feu.

Le *barasingha* recula à contrecœur, tandis que Purun Bhagat plongeait une torche en pin au plus profond des flammes, en la faisant tourner jusqu'à ce qu'elle fût bien allumée.

– Ah ! Vous êtes venus m'avertir, dit-il en se levant. Nous allons faire mieux encore, mieux encore. En avant, maintenant, et prête-moi ton cou, Frère, car moi, je n'ai que deux pieds.

Il s'agrippa de la main droite aux poils hérissés du garrot du barasingha, leva la torche de la main gauche et sortit du temple dans la nuit funeste. Il n'y avait pas un souffle de vent, mais la flamme de la torche était presque noyée sous la pluie tandis que le grand cerf dévalait la pente, en glissant sur ses pattes de derrière. Dès qu'il furent hors de la forêt, d'autres frères du Bhagat les rejoignirent. Il entendit, bien qu'il ne pût les voir, les *langurs* se presser autour de lui, et, derrière eux, les *ouh ! ouh !* de Sona. Sous la pluie, les longues mèches de ses cheveux blancs formaient comme des cordes plaquées sur son crâne ; l'eau giclait sous ses pieds nus, et sa robe safran se collait à son corps, frêle et vieux, mais il descendait d'un pas assuré, en s'appuyant sur le barasingha. Ce n'était plus un saint homme, mais Sir Purun Dass, Grand Officier de l'Ordre de l'Empire des Indes, Premier Ministre d'un Etat important, un homme habitué à commander, s'en allant sauver des vies.

---

9. **desperate** = **dangerous because of despair or urgency**.
10. On appelle **haunches** l'arrière-train d'un animal.
11. **to mat** = **to form into a mat**. → **a mat** : *un tapis*.
12. **to cling, clung, clung**: *s'accrocher à qch.*
13. **no** = **not a**. Est utilisé devant un adjectif pour exprimer l'opposé du sens de l'adjectif. Il peut être utilisé de la même façon devant un nom. ex. : **He is no beginner on the ski slopes**.

Down the steep, plashy[1] path they poured[2] all together, the Bhagat and his brothers, down and down till the deer's feet clicked[3] and stumbled[4] on the wall of a threshing-floor, and he snorted because he smelt Man. Now they were at the head of the one crooked[5] village street, and the Bhagat beat with his crutch on the barred windows of the blacksmith's house, as his torch blazed up in the shelter of the eaves[6]. 'Up and out!' cried Purun Bhagat; and he did not know his own voice, for it was years since he had spoken aloud to a man. 'The hill falls! The hill is falling[7]! Up and out, oh, you within!'

'It is our Bhagat,' said the blacksmith's wife. 'He stands among his beasts. Gather the little ones and give the call.'

It ran from house to house, while the beasts, cramped[8] in the narrow way, surged[9] and huddled round the Bhagat, and Sona puffed[10] impatiently.

The people hurried into the street—they were no more than seventy souls all told—and in the glare of the torches they saw their Bhagat holding back the terrified *barasingh*, while the monkeys plucked piteously at his skirts, and Sona sat on his haunches and roared.

'Across the valley and up the next hill!' shouted Purun Bhagat. 'Leave none behind! We follow!'

Then the people ran as only Hill folk can run, for they knew that in a landslip[11] you must climb for the highest ground across the valley.

---

1. **plashy** = marshy, wet.
2. **to pour** = to move in great number.
3. **to click** = to make slight sharp sounds. cf: the door clicked shut.
4. **to stumble on sth** = to discover unexpectedly.
5. **crooked** ['krukɪd]: *tordu*.
6. **eaves**: *avant-toit*.
7. Notez la répétition avec changement de forme. La forme en -ing utilisée dans la deuxième phrase met l'accent sur le fait que le processus a commencé et est en cours.

Par le sentier raide et bourbeux, ils dévalaient ensemble, le Bhagat et ses frères, descendant toujours plus bas jusqu'à ce que le cerf vînt buter contre le mur d'une aire de battage et se mît à renâcler en sentant l'odeur de l'Homme. Ils se trouvaient à l'entrée de l'unique et tortueuse rue du village. Alors le Bhagat frappa de sa béquille aux fenêtres barrées de la maison du forgeron, pendant que sa torche flamboyait sous l'abri des auvents.

– Debout et dehors ! cria Purun Bhagat ; et il ne reconnut pas sa propre voix, car cela faisait des années qu'il n'avait pas parlé à voix haute à quelqu'un.

– La montagne va s'écrouler ! Elle croule ! Debout et dehors, tous ceux qui sont à l'intérieur !

– C'est notre Bhagat, s'écria la femme du forgeron. Il est au milieu de ses bêtes. Rassemble les petits et donne l'alerte.

L'alerte courut de maison en maison, tandis que les bêtes, serrées dans l'étroite rue, tanguaient et se pressaient autour du Bhagat, et que Sona soufflait d'impatience.

Les gens se précipitèrent dans la rue – ils n'étaient pas plus de soixante-dix en tout – et à la lueur des torches ils virent le Bhagat retenir le barasingha, tandis que les singes s'agrippaient pitoyablement aux pans de sa robe, et que Sona, assis sur son arrière-train, poussait des hurlements.

– De l'autre côté de la vallée et sur la montagne en face ! cria Purun Bhagat. Ne laissez personne en arrière ! Nous vous suivons !

Les villageois se mirent alors à courir comme seuls les montagnards le peuvent, car ils savent qu'en cas d'éboulement il faut grimper le plus haut qu'on le peut de l'autre côté de la vallée.

---

8. **cramped** = severely limited in space.
9. **to surge** = to roll or move forward like waves.
10. **puff**: *bouffée* (d'air, de cigarette). cf. : **to huff and puff**: *souffler comme un bœuf*.
11. **a landslip**: *un glissement de terrain*.

They fled, splashing[1] through the little river at the bottom, and panted[2] up the terraced fields on the far side[3], while the Bhagat and his brethren[4] followed. Up and up the opposite mountain they climbed, calling to each other by name—the roll-call[5] of the village—and at their heels toiled[6] the big *barasingh*, weighted by the failing strength[7] of Purun Bhagat. At last the deer stopped in the shadow[8] of a deep pinewood, five hundred feet up the hillside. His instinct, that had warned him of the coming slide[9], told him he would be safe here.

Purun Bhagat dropped fainting by his side, for the chill of the rain and that fierce climb were killing him; but first he called to the scattered torches ahead, 'Stay and count your numbers'; then, whispering to the deer as he saw the lights gather in a cluster[10],: 'Stay with me, Brother. Stay—till—I—go!'

There was a sigh in the air that grew to a mutter[11], and a mutter that grew to a roar, and a roar that passed all sense of hearing, and the hillside on which the villagers stood was hit in the darkness, and rocked to the blow. Then a note as steady, deep[12], and true as the deep C of the organ drowned everything for perhaps five minutes, while the very roots of the pines quivered[13] to it. It died away, and the sound of the rain falling on miles of hard ground and grass changed to the muffled[14] drum of water on soft earth. That told its own tale.

Never a villager—not even the priest—was bold enough to speak to the Bhagat who had saved their lives.

---

1. **to splash** = to make one's way with splashing.

2. **to pant** = to breathe hard and quickly.

3. **the far side** = the opposite side.

4. **brethren** est le pluriel archaïque de brother, qui est utilisé dans le langage religieux.

5. **the roll-call** = an act of calling names from a list to find out if anyone is missing.

6. **to toil** = to move or travel with difficulty or pain.

7. **strength** = bodily or muscular power.

Ils fuirent, pataugeant à travers la petite rivière qui coulait dans le fond, et grimpèrent, haletants, par les champs en terrasses du versant opposé, tandis que suivaient le Bhagat et ses frères. Ils montèrent toujours plus haut, sur ce flanc de montagne, s'interpellant par leur nom, comme si ils faisaient l'appel de tous les habitants du village, et, sur leurs talons, le grand *barasingha* avançait péniblement, sous le poids de la force déclinante de Purun Bhagat.

Enfin le cerf s'arrêta dans un épais bois de pins qui se trouvait à cent cinquantre mètres plus haut sur la montagne, pour se protéger. Son instinct, qui l'avait averti de l'imminence de la catastrophe, lui disait que là il serait à l'abri.

Purun Bhagat tomba défaillant à ses côtés, car la pluie glaciale et la terrible ascension l'anéantissaient ; mais d'abord il cria en direction des torches qui le précédaient, éparpillées, dans la montée :

– Arrêtez et comptez-vous !

Puis il murmura au cerf, lorsqu'il vit les lumières se grouper :

– Reste avec moi, Frère. Reste... jusqu'à ce que... je... m'en aille !

Dans l'air passa un soupir qui se changea en marmonnement, puis en hurlement, un hurlement trop puissant pour l'oreille humaine ; et le versant de la montagne sur lequel se tenaient les villageois fut heurté dans l'obscurité, et vacilla sous le choc. Alors une note aussi soutenue, profonde et nette que le la mineur d'un grand orgue étouffa tout autre son pendant près de cinq minutes, tandis que les pins en vibraient jusqu'à leurs racines. Elle s'éteignit peu à peu, et le bruit de la pluie, résonnait sur des kilomètres de terre dure et d'herbe, se transforma en un roulement de tambour voilé : le bruit de l'eau sur la terre molle.

Cela en disait assez.

Aucun villageois – pas même le prêtre – n'eut la hardiesse d'adresser la parole au Bhagat qui leur avait sauvé la vie.

---

8. **shadow = shelter, protection.**
9. **coming slide** : *glissement imminent.*
10. **a cluster = a group of things or persons close together.**
11. **to mutter = to murmur.**
12. **deep**: *grave.*
13. **to quiver = to tremble.**
14. **to muffle = to wrap with something to deaden sound cf: to muffle drums.**

They crouched[1] under the pines and waited till the day. When it came they looked across the valley and saw that what had been forest, and terraced field, and track[2]-threaded[3] grazing[4]-ground was one raw[5], red, fan[6]-shaped smear[7], with a few trees flung head-down on the scarp[8]. That red ran high up the hill of their refuge, damming[9] back the little river, which had begun to spread into a brick-coloured lake. Of the village, of the road to the shrine, of the shrine itself, and the forest behind, there was no trace. For one mile in width[10] and two thousand feet in sheer[11] depth the mountain-side had come away bodily[12], planed clean[13] from head to heel.

And the villagers, one by one, crept[14] through the wood to pray before their Bhagat. They saw the *barasingh* standing over him, who fled when they came near, and they heard the *langurs* wailing in the branches, and Sona moaning up the hill; but their Bhagat was dead, sitting cross-legged, his back against a tree, his crutch under his armpit, and his face turned to the north-east.

The priest said: 'Behold a miracle after a miracle, for in this very attitude must all Sunnyasis be buried! Therefore where he now is we will build the temple to our holy man.

They built the temple before a year was ended—a little stone-and-earth shrine—and they called the hill the Bhagat's hill, and they worship there with lights and flowers and offerings to this day.

---

1. **to crouch** [krautʃ] = **to bend close to the ground**.
2. **a track** = **a path**.
3. **a thread**: *un fil*.
4. **to graze**: *paître, brouter*.
5. **raw** = **crude in quality; unnaturally exposed**.
6. **fan**: *éventail*.
7. **smear** = **an oily, greasy, viscous or wet substance**.
8. **a scarp** = **a line of cliffs formed by the fracturing of the earth**.

Ils s'accroupirent sous les sapins et attendirent le jour. Lorsqu'il parut, ils parcoururent la vallée du regard : ce qui avait été forêts, champs en terrasses, pâturages sillonnés de sentiers, n'était plus qu'une énorme tache en forme d'éventail d'un rouge sanguinolent sur l'escarpement duquel gisaient, la tête en bas, quelques arbres. Cette boue rougeâtre montait très haut sur le flanc de la montagne où ils s'étaient réfugiés, endiguant la petite rivière qui commençait à former un lac de couleur brique. Du village, du temple et du chemin qui y menait comme de la forêt qui s'étendait derrière celui-ci, il ne restait nulle trace. Sur un bon kilomètre à la ronde et plus de six cents mètres de profondeur, le versant de la montagne s'était détaché d'une pièce, rasé net de la base au sommet.

Et les villageois, un par un, traversèrent lentement le bois pour venir prier devant le Bhagat. Ils virent le *barasingha* debout auprès de lui, qui s'enfuit à leur approche ; ils entendirent les lamentations des langurs dans les branches, et Sona qui gémissait au sommet de la montagne. Leur Bhagat était mort, assis les jambes croisées, le dos contre un arbre, la béquille au creux de l'aisselle, et le visage tourné vers le nord-est.

Le prêtre dit :

– Voyez. Miracle sur miracle ! C'est exactement dans cette attitude que tous les Sunnyasis doivent être ensevelis ! Aussi nous éléverons à l'endroit où il repose un temple à notre saint homme.

Avant qu'une année ne fût écoulée, ils bâtirent le sanctuaire : un petit autel de pierre et d'argile. Ils appelèrent la montagne "Le Mont du Bhagat", et c'est là qu'ils le vénèrent encore aujourd'hui, avec des lumières, des fleurs et des offrandes.

---

9. **a dam**: *un barrage.*

10. **width** (*largeur*) est le substantif correspondant à l'adjectif **wide**.

11. **sheer** = **abrupt, precipitous**.

12. **bodily** (adverb) = **as a physical entity; as a complete physical unit**.

13. **planed clean**: *parfaitement aplani.*

14. **to creep** = **to move slowly with the body close to the ground as a person on hands and knees; to approach slowly and stealthily; to move slowly or gradually**.

But they do not know that the saint of their worship is the late Sir Purun Dass, K.C.I.E.[1], D.C.L.[2], Ph.D.[3], etc., once Prime Minister of the progressive and enlightened[4] State of Mohiniwala[5], and honorary or corresponding member of more learned and scientific societies than will ever do any good in this world or the next.

---

1. **K.C.I.E.** = **Knight Commander of the Order of the Indian Empire**.

2. **D.C.L** = **Doctor of Civil Law**.

3. **Ph.D.** = **Doctor of Philosophy**. C'est le diplôme le plus élevé que l'on puisse obtenir dans l'enseignement supérieur.

4. **to enlighten** = **to give intellectual or spiritual light**. Cf. : **The Enlightenment** est le nom donné en anglais au mouvement des Lumières du XVIIIᵉ siècle.

Mais ils ne savent pas que le saint, objet de leur culte, est feu Sir Purun Dass, Chevalier de l'Empire des Indes, Docteur en Droit etc, jadis Premier Ministre de l'Etat progressiste et éclairé de Mohiniwala, et membre honoraire ou actif de plus de sociétés savantes et scientifiques qu'il n'y en aura jamais pour faire quelque bien dans ce monde ou dans l'autre.

---

5. Mohiniwala est peut-être invention de Kipling . Mohini est l'un des 25 avatars de Vishnou que l'on trouve dans les Puranas. La principale histoire (ou lila) se trouve dans le chant huit des Bhagavata Purana. On appelle purana un genre littéraire antique écrit en sanscrit où des personnages se racontent une histoire qui mêle la fiction, la philosophie et la religion. Le Bhagavata Purana est un des puranas de l'Hindouisme qui sest consacré à la vénération de Vishnu ou de Krishna,comme Dieu des Dieux, cette dévotion est appelée bhakti yoga. Cette littérature raconte de nombreuses histoires de saints hommes et a sans nul doute inspiré Kipling pour cette nouvelle.

Joseph Conrad
(1857-1924)

Teodor Jozef Konrad Korzeniowski, né à Berditchev, aujourd'hui en Ukraine, le 3 Décembre 1857, était le fils d'un aristocrate polonais. Il fut orphelin à 10 ans et quitta Cracovie à 17 ans pour s'embarquer comme mousse sur un voilier français à Marseille. Il resta trois ans dans la marine française avant d'entrer dans la marine marchande britannique où il resta pendant plus de seize ans. Il navigua principalement en Extrême-Orient fut promu capitaine au long cours en 1884 et se fit naturaliser Anglais. Il parlait avec une égale facilité l'allemand, le français et l'anglais mais choisit d'écrire dans la langue de sa nouvelle patrie. Il publia son premier roman, *Almayer's Folly*, en 1896 sous le nom de **Joseph Conrad**. Il y dépeint la perdition d'un Occidental en Malaisie.

Très cultivé, **Conrad** n'apprit l'anglais qu'à l'âge de 23 ans et réussit le prodige de devenir l'un des plus grands écrivains de langue anglaise. Il parcourut les mers et, en 1896, faute de trouver un commandement, se tourna, vers la littérature comme moyen d'existence. Ses œuvres, probablement à cause de leur complexité et de la richesse de leur style, ne furent jamais de grands succès commerciaux. Bien qu'il n'ait commencé à écrire qu'à presque 40 ans et soit mort à 66 ans (le 3 août 1924) il laissa une œuvre considérable.

Il trouva dans son expérience en mer la matière de la plupart de ses récits qui fascinent par la qualité de leur style, l'exotisme de leur décor et l'universalité de leurs thèmes. **Conrad** décrit généralement des situations extrêmes et met en scène la lutte de l'homme, seul contre lui-même et contre son environnement. La Nature et la société autant que lui-même sont des dangers auxquels l'homme est confronté. Il ne peut triompher dans son combat contre le Mal qu'en incarnant le courage et la fidélité.

C'est ce que l'on trouve dans ses grands romans : *The Nigger of the Narcissus* (1897), *Lord Jim* (1900), *Nostromo* (1904) et *The Secret Agent* (1907) tout comme dans ses magnifiques nouvelles longues que sont *Heart of Darkness* (1899) ou *Typhoon* (1903) mais aussi dans celles, plus courtes, qui sont rassemblées dans le recueil *Tales of Unrest* (1898) et dont fait partie *The Lagoon*.

La Lagune, que **Conrad** présenta comme son premier écrit, a pour décor la luxuriante pénisule malaise. C'est là, en pleine nature, qu'Arsat veille la femme qu'il aime et à qu'il a jadis sacrifié son frère. Dans la nuit, tandis qu'elle agonise, il raconte à son ami, un Blanc qui lui a rendu visite, les circonstances de ce sacrifice. Il espère que la mort de cette femme, Diamelen, va enfin lui permettre de racheter sa faute même si il se leurre à nouveau si la vie n'est comme le disent les derniers mots du texte qu'"un monde d'illusions".

Arsat incarne à la fois la force et le courage mais aussi l'égoïsme et la lâcheté. C'est son amour pour Diamelen qui l'amène à "oublier la loyauté et le respect". Il est, par cela, victime de l'illusion que l'amour triomphe de tout, même de la trahison la plus honteuse. Il perd de vue le fait que c'est grâce au sacrifice de son frère qu'il a pu obtenir Diamelen jusqu'à ce que la mort de celle-ci ne vienne réveiller sa honte et son sentiment de culpabilité. L'espoir que la vengeance peut lui permettre de réparer sa faute et de réintégrer la communauté des hommes est aussi une illusion car le meurtre ("*death- death for many*") ne lui permettra pas de se réconcilier avec les villageois ni d'expier sa faute pas plus qu'il ne fera revivre son frère et Diamelen.

Arsat est hanté par ce sentiment de culpabilité et ce désir de vengeance mais il s'accroche à la vie. Si l'égoïsme provoque la souffrance, l'amour et l'héroïsme produisent les illusions qui donnent envie de vivre tout en trompant et en blessant les hommes. Car seules les illusions permettent de supporter la dure réalité.

LA LAGUNE
(1896)

THE LAGOON

(Publié dans ***TALES OF UNREST***) (1898)

The white man, leaning with both arms over the roof of the little house in the stern of the boat, said to the steersman --

"We will pass the night in Arsat's clearing. It is late.

The Malay only grunted, and went on looking fixedly at the river. The white man rested his chin on his crossed arms and gazed at the wake of the boat. At the end of the straight avenue of forests cut by the intense glitter of the river, the sun appeared unclouded and dazzling, poised low over the water that shone smoothly like a band of metal. The forests, sombre and dull, stood motionless and silent on each side of the broad stream. At the foot of big, towering trees, trunkless nipa palms rose from the mud of the bank, in bunches of leaves enormous and heavy, that hung unstirring over the brown swirl of eddies . In the stillness of the air every tree, every leaf, every bough, every tendril of creeper and every petal of minute blossoms seemed to have been bewitched into an immobility perfect and final. Nothing moved on the river but the eight paddles that rose flashing regularly, dipped together with a single splash; while the steersman swept right and left with a periodic and sudden flourish of his blade describing a glinting semicircle above his head. The churned -up water frothed alongside with a confused murmur.

---

1. **the stern**: *la poupe.*
2. **the steer**: *pilotage, manœuvre* (d'un bateau).
3. **to grunt**: *grogner.*
4. **to glitter**: *briller* cf: **all that glitters is not gold.**
5. **to dazzle**: *miroiter, éblouir.*
6. **poised**: *suspendu, en suspens.*
7. **towering** = **very high or tall.**
8. **trunk**: *tronc.*
9. C'est une variété d'arbre répandu en Asie et en océanie.

Le Blanc,les bras appuyés sur le toit du petit rouf à l'arrière de l'embarcation, dit à l'homme de barre :

– Nous allons passer la nuit à la clairière d'Arsat. Il se fait tard.

Le Malais se contenta de pousser un grognement, et garda les yeux fixés sur le fleuve. Le Blanc posa le menton sur ses bras croisés et contempla le sillage. Au bout de cette allée d'arbres rectiligne que le scintillement intense du fleuve ouvrait dans la forêt, le soleil apparut éblouissant apparut de derrière les nuages, suspendu juste au dessus de l'eau dont la surface lisse chatoyait comme un ruban de métal. Sombres et terne, la forêt se dressait dans une immobilité silencieuse, dee chaque côté de ce large cours d'eau. Au pied des grands arbres majestueux,des palmiers nipa sans tronc, émergeaient de la berge fangeuse, en bouquets de feuilles, énormes et lourdes,que pas un soufle n'agitait au dessus des tourbillons d'eau brune. L'air était si calme que chaque arbre, chaque feuille, chaque branche, chaque vrille de liane et chaque pétale de fleur minuscule semblait plongé, comme par envoûtement, dans une immobilité absolue et définitive. Rien ne bougeait sur le fleuve hormis les huit pagaies étincelantes qui s'élevaient en cadence avant de replonger brutalement dans l'eau tandis que le barreur maniait sa pelle avec des gestes brusques et lui faisait décrire d étincelantes arabesques au dessus de sa tête. Les remous provoquaient un bruissement d'écume le long du bateau.

---

10. **swirl of eddies**: *remous provoqués par les courants.*
11. **blossom** fait référence aux fleurs des arbres.
12. **to sweep, swept, swept**: *balayer.*
13. **a glint = a tiny, quick flash of light**.
14. **to churn (sea)**: *être agité.*
15. **to froth**: *écumer, mousser.*
16. **alongside** est ici un adverbe qui signifie "**to the side of the boat**".

And the white man's canoe, advancing upstream in the short-lived disturbance of its own making, seemed to enter the portals[1] of a land from which the very memory[2] of motion had forever departed.

The white man, turning his back upon the setting sun, looked along the empty and broad expanse of the sea-reach[3]. For the last three miles of its course the wandering, hesitating river, as if enticed irresistibly by the freedom of an open horizon, flows straight into the sea, flows straight to the east--to the east that harbours[4] both light and darkness. Astern of the boat the repeated call of some bird, a cry discordant and feeble[5], skipped[6] along over the smooth water and lost itself, before it could reach the other shore, in the breathless[7] silence of the world.

The steersman dug his paddle into the stream, and held hard with stiffened arms, his body thrown forward. The water gurgled[8] aloud; and suddenly the long straight reach seemed to pivot on its centre, the forests swung[9] in a semicircle, and the slanting beams of sunset touched the broadside[10] of the canoe with a fiery[11] glow[12], throwing the slender and distorted shadows of its crew upon the streaked glitter of the river. The white man turned to look ahead. The course of the boat had been altered at right-angles to the stream, and the carved dragon-head of its prow was pointing now at a gap in the fringing[13] bushes of the bank.

---

1. **portal** (*portail*) est le terme qu'on utilise également sur internet.

2. **the very memory**: *l'idée même.*

3. **expanse** et **reach** sont synonymes.

4. **to harbour**: *cacher ; entretenir.*

5. **feeble**: *faible*

6. **to skip** = **to ricochet or bounce along the surface**.

7. **breathless**: *épuisé, essouflé ; inanimé.*

Et la pirogue du Blanc, quiremontait le courant en provoquantune brève effervescence, semblait franchir les portes d'un monde où toute idée de mouvement avait définitivement disparu .

Le Blanc, le dos tourné au soleil couchant, parcourut du regard la vaste étendue déserte de l'estuaire . Sur les cinq derniers kilomètres de son cours, le fleuve, dont jusqu'alors les méandres trahissaient l'hésitation, semblait attiré irrésistiblement par la liberté qu'offrait un horizon dégagé et se jetait directement dans la mer, à l'est – dans la direction de cet orient qui est source à la fois de lumière et d'obscurité. Derrière le bateau les sifflements d'un oiseau, qui émettait des cris stridents et pitoyables, rebondirent sur l'eau calme et se perdirent avant d'avoir atteint l'autre rive, où régnait un silence immuable .

Le barreur enfonça sa pagaie dans le courant, et la maintint avec difficulté,en bandant les muscles des bras et en projetant le corps en avant. Le flot fit un gargouillement; et soudain le long plan d'eau rectiligne sembla pivoter sur son centre, la forêt décrivit un demi-cercle, et les rayons obliques du couchant embrasèrent le flanc de la pirogue, projetant les ombres frêles et déformées de son équipage sur le miroitement strié du fleuve. Le Blanc se retourna pour regarder vers l'avant. Le cap de l'embarcation avait été déviée de quatre-vingt-dix degrés par rapport au courant, et la tête de dragon sculptée de sa proue pointait désormais vers une trouée dans les buissons qui bordaient la rive.

---

8. **to gurgle**: *gargouiller*.

9. **to swing, swung, swung**: *balancer ; tourner*.

10. **broadside**: *bordée*. C'est la partie de la coque qui se trouve au dessus de la ligne de flottaison.

11. **fiery**: *ardent ; fougueux*.

12. **a glow**: *rougeoiement*.

13. **the fringe**: la *frange*. **to fringe= to serve as a fringe to**.

It glided[1] through, brushing the overhanging[2] twigs[3], and disappeared from the river like some slim and amphibious creature leaving the water for its lair[4] in the forests.

The narrow creek was like a ditch: tortuous, fabulously deep; filled with gloom[5] under the thin strip of pure and shining blue of the heaven. Immense trees soared up, invisible behind the festooned[6] draperies of creepers. Here and there, near the glistening[7] blackness of the water, a twisted root of some tall tree showed amongst the tracery of small ferns, black and dull, writhing[8] and motionless, like an arrested snake. The short words of the paddlers reverberated loudly between the thick and sombre walls of vegetation. Darkness oozed out from between the trees, through the tangled[9] maze[10] of the creepers, from behind the great fantastic and unstirring leaves; the darkness, mysterious and invincible; the darkness scented and poisonous of impenetrable forests.

The men poled[11] in the shoaling[12] water. The creek broadened, opening out into a wide sweep[13] of a stagnant lagoon. The forests receded[14] from the marshy bank, leaving a level strip of bright green, reedy grass to frame the reflected blueness of the sky. A fleecy pink cloud drifted high above, trailing the delicate colouring of its image under the floating leaves and the silvery blossoms of the lotus. A little house, perched on high piles, appeared black in the distance.

---

1. **to glide**: *glisser* (avec majesté). cf. : **a glider**: *un planeur*.

2. **overhanging**: *surplombant*.

3. L'anglais utilise le mot **bough** pour désigner les grosses branches issues du tronc, le mot **branch** pour celles qui partent de celles-ci et **twig** pour les petites branches, les brindilles.

4. **lair = secluded or hidden place ; resting place of a wild animal.**

5. **gloom**: 1) **total or partial darkness** ; 2. **state of depression**.

6. On appelle feston la partie de draperie retroussée en flots croisés, que l'on met par le haut d'une tenture pour cacher la tête des rideaux.

La pirogue s'y glissa, frôlant au passage les branches qui pendaient, et disparut du fleuve comme une frêle créature aquatique qui sort de l'eau pour rejoindre sa tanière dans la forêt.

L' étroit chenal ressemblait à un fossé sinueux et d'une profondeur extraordinaire, noyé d'ombre sous le mince ruban d'azur radieux et pur du ciel. Derrière un épais rideau de lianes s'élevaient de gigantesques arbres. Par endroits, au bord d'une eau noire chatoyante, la racine tordue d'un grand arbre apparaissait au milieu d'un fouillis de petites fougères, sombre et terne, contorsionnée et inerte commeun serpent mort. Les cris brefs des pagaïeurs résonnaient fortement entre les murailles opaques formées par la végétation luxuriante. Les ténèbres suintaient entre les arbres, à travers le labyrinthe touffu des lianes , derrière les grandes feuilles fantastiques et immobiles. Ténèbres mystérieuses et invincibles. Ténèbres parfumées et empoisonnées des forêts impénétrables.

Les hommes manœuvraient à la perche car il y avait moins de fond . Le chenal s'élargissait, s'évasait pour former une vaste étendue de lagune stagnante. La forêt avait déserté la berge marécageuse ne laissant derrière elle qu'une bande de terre plate couverte de roseaux verts qui servait de cadre à la réverbération du ciel bleu dans l'eau. Un nuage rose et floconneux voguait en altitude, en se reflétant délicatement sous les feuilles flottantes et les fleurs argentées du lotus. L'ombre d'une petite maison, juchée sur de grands pilotis, se profila à l'horizon.

---

7. L'anglais dispose de nombreux verbes qui expriment l'idée de "briller". **Glisten** s'utilise généralement pour un reflet mouillé, celui de la neige au soleil, par exemple.

8. **to writhe**: *se contorsionner.*

9. **tangled**: *embrouillé ; ébouriffé.*

10. **maze**: *dédale, labyrinthe.*

11. **to pole** = *to push or propel with a pole.*

12. **shoaling** = **having little depth, shallow.**

13. **a sweep** = **a continuous extent.**

14. **to recede**: *s'éloigner, fuir.*

Near it, two tall nibong palms, that seemed to have come out of the forests in the background, leaned slightly over the ragged[1] roof, with a suggestion of sad tenderness and care in the droop[2] of their leafy and soaring[3] heads.

The steersman, pointing with his paddle, said, "Arsat is there. I see his canoe fast[4] between the piles."

The polers[5] ran along the sides of the boat glancing over their shoulders at the end of the day's journey. They would have preferred to spend the night somewhere else than on this lagoon of weird[6] aspect and ghostly reputation. Moreover, they disliked Arsat, first as a stranger, and also because he who repairs a ruined house, and dwells in it, proclaims that he is not afraid to live amongst the spirits that haunt the places abandoned by mankind[7]. Such a man can disturb the course of fate by glances or words; while his familiar ghosts are not easy to propitiate[8] by casual wayfarers[9] upon whom they long[10] to wreak[11] the malice of their human master. White men care not for such things, being unbelievers and in league with the Father of Evil, who leads them unharmed[12] through the invisible dangers of this world. To the warnings of the righteous they oppose an offensive pretence[13] of disbelief[14]. What is there to be done?

So they thought, throwing their weight on the end of their long poles.

---

1. **ragged**: *irrégulier ; découpé ; déchiqueté.*

2. **to droop**: *pendre ; tomber.* **a droop**: *masse* (forme affaissée).

3. **soaring = ascending to a level markedly higher than the usual**.

4. **fast = fixed**.

5. **poler** fait référence aux hommes qui ont navigué avec une perche.

6. **weird** [wɪəd]: *bizarre, étrange.*

7. **mankind**: *humanité ; genre humain.*

112

Auprès d'elle, deux grands palmiers nibong, qui semblaient avoir émergé de la forêt à l'arrière-plan, s'inclinaient légèrement au dessus du toit biscornu, comme s'ils faisaient preuve d'une attention et d'une tendresse émouvantes en baissant vers lui leur tête feuillue et élancée.

Le barreur, désignant la maison de sa pagaie, dit :

– Arsat est là. Je vois sirogue amarrée entre les pilotis.

Les hommes, maniant leurs perches, couraient sur les côtés de l'embarcation et jetaient un coup d'Œil en arrière vers ce qui était ce jour-là le terme de leur voyage. Ils auraient préféré passer la nuit ailleurs que dans cette lagune, d'aspect inquiétant et de sinistre réputation. En outre, ils détestaient Arsat, d'abord parce que c'était un étranger, et ensuite parce que celui qui répare une maison en ruines pour y habiter proclame ainsi ne pas avoir peur des esprits qui reviennent sur les lieux que l'Homme a abandonnés. Un tel homme peut, par des regard ou des paroles,changer le cours de votre destin ; quant aux fantômes qui lui sont familiers, ils constituent une menace pour les visiteurs et peuvent, à tout moment, aider leur nouveau maître à assouvir sa méchanceté. Les Blancs n'ont cure de ces choses, incrédules qu'ils sont, et d'intelligence avec le Seigneur du Mal, qui les guide à travers les dangers invisibles de ce monde. Aux avertissements des justes, ils opposent l'apparence insultante de l'incrédulité. Que peut-on y faire ?

C'est ce qu'ils pensaient en pesant de tout leur poids sur l'extrémité de leurs longues perches.

---

8. **to propitiate** = **to make favorably inclined; appease; conciliate.**

9. **wayfarer**: *voyageur.*

10. **to long to**: *être très impatient de.*

11. cf: **to wreak havoc**: *faire des ravages.*

12. **unharmed**: *indemne ; sauf.*

13. **pretence**: *façade ; simulacre.*

14. **disbelief**: *incrédulité.*

The big canoe glided on swiftly, noiselessly, and smoothly, towards Arsat's clearing, till, in a great rattling[1] of poles thrown down, and the loud murmurs of "Allah be praised!" it came with a gentle knock against the crooked[2] piles below the house.

The boatmen with uplifted[3] faces shouted discordantly[4], "Arsat! O Arsat!" Nobody came. The white man began to climb the rude ladder giving access to the bamboo platform before the house. The juragan of the boat said sulkily[5], "We will cook in the sampan[6], and sleep on the water."

"Pass my blankets and the basket," said the white man, curtly[7].

He knelt on the edge of the platform to receive the bundle[8]. Then the boat shoved off[9], and the white man, standing up, confronted Arsat, who had come out through the low door of his hut. He was a man young, powerful, with broad chest and muscular arms. He had nothing on but his sarong[10]. His head was bare. His big, soft eyes stared eagerly at the white man, but his voice and demeanour were composed as he asked, without any words of greeting--

"Have you medicine, Tuan?"

"No," said the visitor in a startled tone. "No. Why? Is there sickness in the house?"

"Enter and see," replied Arsat, in the same calm manner, and turning short[11] round, passed again through the small doorway. The white man, dropping his bundles, followed.

---

1. **crooked**: *courbé ; crochu.*

2. cf: **a rattle**: *une crécelle ; un hochet.*

3. **to uplift** = **to raise; to elevate**.

4. **discordant =1) disagreeing; 2) disagreeable to the ear.**

5. **sulkily**: *d'un air (ton) boudeur.*

6. Le sampan est un bateau à fond plat, généralement manœuvré par des rames, utilisé en Asie.

7. **curt** = **in an abrupt and discourteous manner**.

La grande pirogue continua à glisser rapidement, sans bruit ni à-coups, vers la clairière d'Arsat jusqu'au moment où, dans un fracas de perches jetées bas et de voix sourdes s'exclamant "Allah soit loué !" elle vint buter doucement contre les pilotis tordus qui soutenaient la maison.

Les bateliers, levant la tête levée, braillèrent :

– Arsat, Oh, Arsat !

Personne ne vint. Le Blanc se mit à monter à l'échelle rudimentaire donnant accès à la plate-forme de bambous qui se trouvait devant la maison. Le chef de l'équipage dit, d'un air fâché :

– Nous ferons notre cuisine dans le sampan, et nous dormirons sur l'eau.

– Passe-moi mes couvertures et le panier, fit le Blanc d'un ton sec.

Il s'agenouilla au bord de la plate-forme pour recevoir le ballot. Puis le bateau s'éloigna et le Blanc se retrouva face à Arsat, qui venait de sortir par la porte basse de sa cabane. C'était un homme jeune, vigoureux, à la poitrine large et aux bras musclés. Il n'était vêtu que d'un sarong et était tête nue. Ses grands yeux, bienveillants, fixaient anxieusement l'homme blanc, mais sa voix et son attitude étaient calmes lorsqu'il demanda, sans aucune parole de bienvenue :

– As-tu des médicaments, Tuan ?

– Non, fit le visiteur, interloqué. Non. Pourquoi ? Il y a quelqu'un de malade ici ?

– Viens voir, répondit Arsat, toujours aussi calmement. Sur quoi, se retournant il repassa la petite porte. Le Blanc posa ce qu'il avait dans les mains et le suivit.

---

8. **bundle**: *paquet ; ballot.*

9. **to shove off** = **to push (a boat) away from shore**.

10. Le sarong est une grande pièce de tissu nouée autour de la taille que portent traditionnellement les hommes comme les femmes dans l'Asie du Sud-Est, du Sud et de nombreuses îles du Pacifique.

11. **short** est ici un adverbe qui a le sens de **"suddenly, abruptly"**.

In the dim light of the dwelling[1] he made out on a couch of bamboos a woman stretched on her back under a broad sheet of red cotton cloth. She lay still, as if dead; but her big eyes, wide open, glittered in the gloom, staring upwards[2] at the slender[3] rafters[4], motionless and unseeing[5]. She was in a high fever[6], and evidently unconscious. Her cheeks were sunk[7] slightly, her lips were partly open, and on the young face there was the ominous[8] and fixed expression--the absorbed, contemplating expression of the unconscious who are going to die. The two men stood looking down at her in silence.

"Has she been long ill?" asked the traveller.

"I have not slept for five nights," answered the Malay, in a deliberate[9] tone. "At first she heard voices calling her from the water and struggled against me who held her. But since the sun of to-day rose she hears nothing--she hears not[10] me. She sees nothing. She sees not me--me!"

He remained silent for a minute, then asked softly[11]--

"Tuan, will she die?"

"I fear so," said the white man, sorrowfully[12]. He had known Arsat years ago, in a far country in times of trouble and danger, when no friendship is to be despised. And since his Malay friend had come unexpectedly to dwell in the hut on the lagoon with a strange woman, he had slept many times there, in his journeys up and down the river.

---

1. **the dwelling**: *l'habitation*. **to dwell, dwelt, dwelt**: *habiter*.

2. **upwards** est un adverbe (*vers le haut*) comme **downward** (*vers le bas*).

3. **slender**: *mince, fluet*.

4. **rafters**: *chevrons*.

5. **unseing** = **who does not see anything**.

6. Notez la construction *to be in a fever* (être fiévreux) ou *to have a fever* (avoir de la fièvre).

Dans la pénombre du logis, il distingua, sur une natte de bambou, une femme étendue sur le dos couverte d'une grande pièce de cotonnade rouge. Elle gisait ,comme une morte ; mais ses grands yeux, écarquillés brillaient dans l'obscurité et fixaient, sans les voir, les minces chevrons au dessus d'elle. En proie à une forte fièvre, elle avait manifestement perdu connaissance. Ses joues étaient légèrement creusées, ses lèvres entrouvertes et son jeune visage était figé dans une expression sinistre – l'expression absente et contemplative des moribonds. Les deux hommes la contemplèrent en silence.

– Il y a longtemps qu'elle est malade ? demanda le voyageur.

– Ça fait cinq nuits que je ne dors pas, répondit le Malais d'une voix monocorde. Elle a d'abord entendu des voix qui l'appelaient de la rivière, et elle se débattait quand je la retenais. Mais aujourd'hui, depuis le lever du soleil, elle n'entend plus rien – elle ne m'entend même pas, moi. Elle ne voit plus rien. Même moi,elle ne me voit plus !

Il resta silencieux quelques instants, puis demanda, à voix basse :

– Tuan, tu crois qu'elle va mourir ?

– J'en ai bien peur, répondit le Blanc, douloureusement. Il avait connu Arsat des années auparavant, dans une contrée lointaine, dans des temps troublés et périlleux, où aucune amitié n'était à dédaigner. Et depuis que son ami malais avait subitement décidé de venir s'installer dans cette cabane sur la lagune avec cette inconnue, il avait plus d'une fois passé la nuit là, au cours de ses allées et venues sur le fleuve.

---

7. **sunk** est le participe passé de **sink**.

8. **ominous** exprime l'idée d'un malheur imminent.

9. **deliberate**: = **slow and even**.

10. La forme *she hears not* permet de faire écho à *she hears nothing* et à exprimer l'émotion du locuteur plus que la forme *she does not hear me*.

11. **softly**: *doucement ; légèrement.*

12. **sorrowfully**: *douloureusement.*

He liked the man who knew how to keep faith in council and how to fight without fear by the side of his white friend. He liked him--not so much perhaps as a man likes his favourite dog--but still he liked him well enough to help and ask no questions, to think sometimes vaguely and hazily[1] in the midst of his own pursuits[2], about the lonely man and the long-haired woman with audacious face and triumphant eyes, who lived together hidden by the forests--alone and feared.

The white man came out of the hut in time to see the enormous conflagration[3] of sunset put out by the swift[4] and stealthy[5] shadows that, rising like a black and impalpable vapour above the tree-tops, spread[6] over the heaven, extinguishing the crimson[7] glow of floating[8] clouds and the red brilliance of departing[9] daylight. In a few moments all the stars came out above the intense blackness of the earth and the great lagoon gleaming[10] suddenly with reflected lights resembled an oval patch of night sky flung[11] down into the hopeless[12] and abysmal[13] night of the wilderness[14]. The white man had some supper out of the basket, then collecting a few sticks that lay about the platform, made up a small fire, not for warmth, but for the sake of the smoke, which would keep off[15] the mosquitos. He wrapped himself in the blankets and sat with his back against the reed wall of the house, smoking thoughtfully[16].

---

1. **hazy**: *flou.*
2. **pursuit**: *recherche.*
3. **conflagration** = **a destructive and generally extensive fire.**
4. **swift**: *rapide ; prompt.*
5. **stealthy**: *furtif.*
6. **to spread, spread, spread**: *déployer ; s'étendre ; propager.*
7. **crimson**: *pourpre ; cramoisi.*
8. **floating**: *flottant ; vagabond.*
9. **to depart**: *partir.*

Il aimait bien cet homme qui savait à la fois tenir parole au conseilet se battre avec courage auprès de son ami blanc. Il l'aimait bien-peut-être pas autant qu'un homme aime son chien préféré – mais assez cependant pour l'aider sans poser de questions, pour penser quelquefois vaguement, confusément, au milieu de ses propres occupations, à ce solitaire et à sa compagne aux cheveux longs, au visage téméraire et au regard radieux, qui vivaient ensemble, cachés dans la forêt – isolés et redoutés.

Le Blanc sortit de la cabane à temps pour voir le formidable brasier du soleil couchant s'éteindre sous les ombres rapides et furtives qui, se levant comme une brume opaque et insaisissable au dessus de la cime des arbres, recouvraient les cieux en obscurcissant la lumière incandescente des nuages et le rougeoiement intense du jour finissant. Quelques instants plus tard toutes les étoiles firent leur apparition au dessus des épaisses ténèbres de la terre et l'ovale de la grande lagune, brusquement illuminé de reflets eut l'air d' un pan de ciel nocturne précipité dans la nuit insondable et infernale de cette région sauvage. Le Blanc dina de quelques provisions contenues dans son panier, puis, ramassant quelques brindilles éparpillées sur la plate-forme, il alluma un petit feu, non pour se réchauffer mais pour que la fumée éloignât les moustiques. Il s'enveloppa dans ses couvertures et s'assit, le dos appuyé au mur de roseaux de la cabane, tout en fumant.
d'un air pensif.

---

10. **to gleam**: *luire ; briller ; étinceler.*
11. **to fling, flung, flung**: *lancer ; jeter.*
12. **hopeless**: *sans espoir.*
13. **abysmal** [ə'bɪzməl]: *abyssal ; épouvantable.*
14. **wilderness**: *étendue sauvage.*
15. **to keep off**: *maintenir à distance.*
16. **thoughtfully**: *pensivement.*

Arsat came through the doorway with noiseless steps[1] and squatted down by the fire. The white man moved his outstretched[2] legs a little.

"She breathes," said Arsat in a low voice, anticipating the expected question. "She breathes and burns as if with a great fire. She speaks not; she hears not--and burns!"

He paused for a moment, then asked in a quiet, incurious[3] tone--

"Tuan . . . will she die?"

The white man moved his shoulders uneasily[4] and muttered[5] in a hesitating manner--

"If such is her fate[6]."

"No, Tuan," said Arsat, calmly. "If such is my fate. I hear, I see, I wait. I remember . . . Tuan, do you remember the old days? Do you remember my brother?"

"Yes," said the white man. The Malay rose suddenly and went in. The other, sitting still outside, could hear the voice in the hut. Arsat said: "Hear me! Speak!" His words were succeeded by a complete silence. "O Diamelen!" he cried, suddenly. After that cry there was a deep sigh. Arsat came out and sank[7] down again in his old place.

They sat in silence before the fire. There was no sound within the house, there was no sound near them; but far away on the lagoon they could hear the voices of the boatmen ringing fitful[8] and distinct on the calm water.

---

1. **steps**: des pas.
2. **outstretched** = extended.
3. **incurious**: *sans curiosité.*
4. **uneasily**: *anxieusement, avec appréhension.*
5. **to mutter** = to utter words indistinctly or in a low tone.

Arsat ressortit sans faire de bruit et vint s'accroupir auprès du feu. Le Blanc déplaça légèrement ses jambes étendues.

– Elle respire, dit Arsat à voix basse, en devançant la question attendue. Elle respire mais elle est brûlante comme si un grand feu était en elle. Elle ne parle pas ; elle n'entend pas – mais elle brûle !

Il s'arrêta un instant, puis demanda d'un ton calme et indifférent :

– Tuan... elle va mourir ?

Le Blanc haussa les épaules d'un air gêné, et marmonna d'une voix hésitante :

– Si tel est son destin.

– Non, Tuan, dit Arsat, posément. Si tel est mon destin à moi. J'entends, je vois, j'attends. Je me souviens... Tuan, tu te souviens d'autrefois ? Tu te souviens de mon frère ?

– Oui, dit le Blanc. Le Malais se leva soudain et rentra. L'autre, assis dehors sans bouger, entendit dans la cabane la voix d'Arsat qui disait :

– Ecoute-moi ! Parle! Ses paroles furent suivies d'un long silence. Oh, Diamelen ! cria-t-il soudain. Un profond soupir succéda à cet appel. Puis Arsat réapparut et retourna s'affaler au même endroit que précédemment.

Ils restèrent assis, en silence, devant le feu. Aucun bruit dans la maison, aucun bruit auprès d'eux ; mais au loin dans la lagune, on entendait distinctement les voix des piroguiers qui retentissaient par intervalles sur l'eau calme.

---

6. On notera comment l'Occidental essaye de faire appel au fatalisme des indigènes.

7. **to sink (sank, sunk) down**: *s'affaisser*.

8. **fitful**: *irrégulier*.

The fire in the bows of the sampan shone faintly in the distance with a hazy red glow. Then it died out. The voices ceased. The land and the water slept invisible, unstirring and mute. It was as though there had been nothing left in the world but the glitter of stars streaming[1], ceaseless[2] and vain[3], through the black stillness[4] of the night.

The white man gazed straight before him into the darkness with wide-open eyes. The fear and fascination, the inspiration and the wonder of death--of death near, unavoidable, and unseen, soothed[5] the unrest[6] of his race and stirred[7] the most indistinct[8], the most intimate of his thoughts. The ever-ready suspicion of evil, the gnawing[9] suspicion that lurks[10] in our hearts, flowed out into the stillness round him--into the stillness profound and dumb, and made it appear untrustworthy[11] and infamous[12], like the placid[13] and impenetrable mask of an unjustifiable violence. In that fleeting[14] and powerful disturbance of his being the earth enfolded[15] in the starlight peace became a shadowy country of inhuman strife[16], a battle-field of phantoms terrible and charming, august or ignoble, struggling ardently for the possession of our helpless[17]   hearts. An unquiet and mysterious country of inextinguishable[18] desires and fears.

---

1. **to stream:** *ruisseler.*

2. **ceaseless**: *constant; ininterrompu.*

3. **vain**: *vain.*

4. **stillness**: *immobilité.*

5. **to soothe**: *apaiser, calmer.*

6. **unrest** = **troubled or uneasy state**. Notez que la nouvelle fut publiée, avec d'autres, dans le recueil *Tales of Unrest.*

7. **to stir**:*remuer; mélanger.*

8. **indistinct**: *vague.*

9. **to gnaw**: *ronger.*

Le feu à l'avant du sampan formait dans le lointain une vague lueur rougeâtre. Puis il s'éteignit. Les voix se turent. La terre et l'eau dormaient, invisibles, immobiles et silencieux. C'était comme si ne subsistait du monde que le scintillement des étoiles qui sillonnaient en vain l'obscurité imperturbable de la nuit.

Le Blanc, les yeux grand ouverts, regardait droit devant lui dans l'obscurité. La peur et la fascination, l'intuition et le mystère de la mort – de la mort proche, inévitable, et invisible, apaisaient l'angoisse de sa race et éveillaient en lui les plus confuses et les plus intimes de ses pensées. La crainte du mal, toujours à l'affût, cette crainte lancinante, tapie dans nos cœurs, se répandait dans la quiétude qui l'entourait – une quiétude absolue et muette – et la faisait paraître trompeuse et infâme, comme le masque impassible et impénétrable d'une violence injustifiable. Alors que ce fort et brutal sentiment de malaise l'envahissait, la terre sur laquelle régnait la paix des étoiles, devint le sombre terrain de luttes inhumaines, un champ de bataille où des fantômes terribles et charmants, majestueux ou ignobles livraient d'ardents combats pour posséder nos pauvres cœurs. Un terrain agité et mystérieux peuplé de désirs et de craintes inextinguibles.

10. **to lurk**: *se tenir en embuscade; rôder.*
11. **untrustworthy**: *indigne de confiance.*
12. **infamous**: *infâme.*
13. **placid** = **tranquil; serenely undisturbed**.
14. **fleeting** : *fugace.*
15. **unfolded** : *enveloppé.*
16. **strife**: *discorde.*
17. **helpless** = **weak**.
18. **inextinguishable**: *inextinguible.*

A plaintive murmur rose in the night; a murmur saddening[1] and startling[2], as if the great solitudes[3] of surrounding woods had tried to whisper into his ear the wisdom of their immense and lofty indifference. Sounds hesitating and vague floated[4] in the air round him, shaped[5] themselves slowly into words; and at last flowed on gently in a murmuring stream[6] of soft and monotonous sentences. He stirred like a man waking up and changed his position slightly. Arsat, motionless and shadowy[7], sitting with bowed head under the stars, was speaking in a low and dreamy tone--

". . . for where can we lay down[8] the heaviness of our trouble but in a friend's heart? A man must speak of war and of love. You, Tuan, know what war is, and you have seen me in time of danger seek death as other men seek[9] life! A writing may be lost; a lie may be written; but what the eye has seen is truth and remains in the mind!"

"I remember," said the white man, quietly. Arsat went on with mournful[10] composure[11]--

"Therefore I shall speak to you of love. Speak in the night. Speak before both night and love are gone--and the eye of day looks upon my sorrow and my shame; upon my blackened face; upon my burnt-up heart."

A sigh, short and faint[12], marked an almost imperceptible pause, and then his words flowed on, without a stir, without a gesture.

---

1. **to sadden**: *attrister.*
2. **to startle**: *sursauter.*
3. **solitude** = a lonely, unfrequented place.
4. **to float** : *flotter.*
5. **to shape**: *modeler ; façonner.*
6. **a stream** : *un ruisseau ; un flot.*
7. **shadowy** = enveloped in shadow.

Un gémissement plaintif s'éleva dans la nuit ; un gémissement funeste et saisissant, comme si les vastes solitudes des forêts alentour tentaient de murmurer à l'oreille du Blanc les secrets de leur noble et prodigieuse indifférence. Des bruits hésitants et vagues flottaient dans l'air autour de lui, se transformaient peu à peu en mots ; pour finalement constituer doucement un flot de phrases anodines et monotones. Il remua comme un homme qui se réveille et changea légèrement de position. Arsat, qui n'était qu'une ombre immobile, assis sous les étoiles la tête baissée, murmurait, l'air songeur :

– ...car où peut-on se décharger du fardeau de ses peines si ce n'est dans le cœur d'un ami ? L'homme doit parler de guerre et d'amour. Toi, Tuan, tu sais ce que c'est que la guerre, et tu m'as vu à l'heure du danger, chercher la mort comme d'autres cherchent la vie !

Un écrit peut se perdre; un mensonge peut être écrit ; mais ce que l'œil a vu est la vérité et reste dans la mémoire !

– Je me souviens, répondit le Blanc, paisiblement. Arsat poursuivit avec un calme lugubre :

– Je te parlerai donc d'amour. Je parlerai dans la nuit. Je parlerai avant que la nuit et l'amour aient tous les deux disparus – et que l'œil du jour ne vienne se poser sur ma douleur et ma honte ; sur mon visage assombri et mon cœur consumé.

Un soupir, bref et étouffé, marqua une pause presque imperceptible, puis ses paroles s'enchaînèrent à nouveau, sans un tressaillement, sans un geste.

---

8. Il ne faut pas confondre **to lay down** (*allonger*) et **to lie down** (*se coucher, s'allonger*).

9. **to seek, sought, sought**: *chercher ; rechercher*.

10. **mournful**: *triste ; qui exprime le chagrin*.

11. **composure**: *calme, flegme*.

12. **faint**: *faible*.

"After the time of trouble and war was over and you went away from my country in the pursuit[1] of your desires, which we, men of the islands[2], cannot understand, I and my brother became again, as we had been before, the sword-bearers[3] of the Ruler[4]. You know we were men of family, belonging to a ruling race, and more fit than any to carry on our right shoulder the emblem of power. And in the time of prosperity Si Dendring showed us favour, as we, in time of sorrow, had showed to him the faithfulness of our courage. It was a time of peace. A time of deer-hunts and cockfights; of idle[5] talks and foolish[6] squabbles[7] between men whose bellies are full and weapons are rusty. But the sower[8] watched the young rice-shoots grow up without fear, and the traders came and went, departed lean and returned fat into the river of peace. They brought news, too. Brought lies and truth mixed together, so that no man knew when to rejoice and when to be sorry. We heard from them about you also. They had seen you here and had seen you there. And I was glad to hear, for I remembered the stirring[9] times, and I always remembered you, Tuan, till the time came when my eyes could see nothing in the past, because they had looked upon the one who is dying there--in the house."

He stopped to exclaim in an intense whisper, "O Mara[10] bahia! O Calamity!" then went on speaking a little louder:

---

1. N.B. : **the pursuit of happiness** est un droit inscrit dans la constitution américaine.
2. Il s'agit des îles du Pacifique.
3. Nom donné à ceux qui portent l'épée symbolique de l'Etat lors des cérémonies officielles, devant le souverain, les magistrats etc.
4. **to rule**: *gouverner*.
5. **idle**:*oiseux; futile.*

– Lorsque, les toubles et la guerre terminés, tu quittas mon pays à la poursuite de tes désirs, que nous, hommes des îles, ne pouvons comprendre, mon frère et moi redevînmes les porte-glaive du souverain. Tu sais que nous étions de bonne famille, que nous appartenions à une race de chefs, que nous étions plus dignes que quiconque de porter sur notre épaule droite l'emblème du pouvoir. Et, à l'époque de la prospérité Si Dendring nous marqua sa faveur, comme nous, au temps du malheur, lui avions marqué la fidélité de notre courage. C'était un temps de paix. Un temps de chasse au cerf et de combats de coqs ; de discussions futiles et de querelles absurdes entre hommes dont le ventre est plein et les armes se rouillent. Mais le semeur voyait ses jeunes pousses de riz grandir sans crainte et les marchands allaient et venaient, et pouvaient s'engraisser avant de repartir sur la rivière tranquille. Ils colportaient aussi les nouvelles. Colportaient un fatras de mensonges et de vérités, si bien que personne ne savait de quoi se réjouir et de quoi se désoler. Par eux nous avions des nouvelles de toi. Ils t'avaient vu ici puis là. Et j'en étais heureux, car je me rappelais des moments exaltants et je me suis toujours souvenu toujours de toi, Tuan, jusqu'au jour où mes yeux ne virent plus rien dans le passé, parce qu'ils s'étaient posés sur celle qui meurt là – dans cette maison.

Il s'arrêta pour s'écrier dans un grand soupir :

– Oh Mara bahia ! Oh, Malheur ! puis reprit, en élevant un peu la voix.

---

6. **foolish**: *idiot, stupide.*

7. **to squabble over sth**: *se disputer: se chamailler à propos de qch.*

8. **to sow**: *semer.* ➜ **sower**: *semeur.*

9. **stirring**: 1) =**exciting, thrilling** 2) = **active, lively**.

10. Mara est le Dieu hindou de la mort.

"There's no worse enemy and no better friend than a brother, Tuan, for one brother knows another, and in perfect knowledge is strength for good or evil. I loved my brother. I went to him and told him that I could see nothing but one face[1], hear nothing but one voice. He told me: 'Open your heart so that she can see what is in it--and wait. Patience is wisdom. Inchi Midah may die or our Ruler may throw off[2] his fear of a woman!' ...I waited! ... You remember the lady with the veiled face, Tuan, and the fear of our Ruler before her cunning[3] and temper. And if she wanted her servant, what could I do? But I fed the hunger of my heart[4] on short glances and stealthy words. I loitered[5] on the path to the bath-houses[6] in the daytime, and when the sun had fallen[7] behind the forest I crept along the jasmine[8] hedges of the women's courtyard[9]. Unseeing, we spoke to one another through the scent of flowers, through the veil of leaves, through the blades of long grass that stood still before our lips; so great was our prudence, so faint was the murmur of our great longing[10]. The time passed swiftly ... and there were whispers amongst[11] women--and our enemies watched--my brother was gloomy, and I began to think of killing and of a fierce death... We are of a people who take what they want--like you whites. There is a time when a man should forget loyalty and respect.

---

1. m. à m. : "je ne voyais rien qu'un visage."
2. **to throw off** = **to free oneself of; to escape from.**
3. **cunning** peut être adjectif (rusé) ou nom (ruse, astuce)
4. lit. : "je nourrissais la faim de mon cœur " → **to feed, fed, fed.**
5. **to loiter:= to move in a slow manner.**
6. **path:** sentier ; chemin.
7. On utilise généralement simplement le terme de **baths.**
8. On utilise, en général, plutôt le verbe **set (set, set)** quand il s'agit du soleil et l'on réserve **fall** à la nuit.

– Il n'y a pas de pire ennemi ni de meilleur qu'un frère Tuan, car on se connait parfaitement et cela donne la force d'agir pour le bien ou pour le mal. J'aimais mon frère. J'allai le trouver pour lui dire que je ne pouvais plus voir qu'un seul visage, plus entendre qu'une seule voix. Il me dit : "Ouvre lui ton cœur – et attends. Patienter est sage. Il se peut qu'Inchi Midah meure ou que notre Souverain surmonte la crainte que lui inspire une femme !" ... J'attendis ! ...Tu te rappelles, Tuan, de la dame au visage voilé, et de la crainte de notre Souverain devant sa ruse et sa colère. Et si elle tenait à sa servante, que pouvais-je faire ? Mais je nourrissais mon cœur affamé de coups d'œil furtifs et de paroles discrètes. Le jour, je flânais sur le sentier conduisant aux bains , et dès que le soleil avait disparu derrière les arbres je me faufilais le long des haies de jasmin bordant la cour de la maison des femmes. Sans nous voir, nous nous parlions à travers le parfum des fleurs, à travers le rideau de feuilles, à travers les grandes herbes immobiles devant nos lèvres ; si grande était notre prudence, si faible le murmure de notre grand désir Le temps s'enfuit... et des bruits se répandirent dans le quartier des femmes – nos ennemis nous guettaient – mon frère était sombre, et je commençait à avoir des pensées de meurtre et de mort violente... Nous appartenons à une race qui prend ce qu'elle convoite – comme vous, les Blancs. Vient un moment où l'homme se doit oublier la loyauté et le respect.

---

9. Le jasmin est une fleur très parfumée, qui pousse sur des arbustes et qui est surtout cultivée en Inde et en Chine. Le jasmin est considéré en Orient comme le symbole de l'amour et de la tentation féminine. En Inde on dit que le dieu de l'amour, Kâma, attache des fleurs de jasmin à ses flèches.

10. Le mot **courtyard** désigne un espace clos, une cour intérieure.

11. **to long**: *attendre avec impatience*.

12. **amongst** = **among**; (Principalement en anglais britannique).

Might and authority are given to rulers, but to all men is given love and strength and courage. My brother said, 'You shall take her from their midst[1]. We are two who are like one.' And I answered, 'Let it be soon, for I find no warmth in sunlight that does not shine upon her.' Our time came when the Ruler and all the great people went to the mouth of the river to fish by torchlight. There were hundreds of boats, and on the white sand, between the water and the forests, dwellings of leaves were built for the households of the Rajahs[2]. The smoke of cooking-fires was like a blue mist of the evening, and many voices rang in it joyfully[3]. While they were making the boats ready to beat up[4] the fish, my brother came to me and said, 'To-night!' I looked to[5] my weapons, and when the time came our canoe took its place in the circle of boats carrying the torches. The lights blazed[5] on the water, but behind the boats there was darkness. When the shouting began and the excitement made them like mad we dropped out[6]. The water swallowed[7] our fire, and we floated back to the shore that was dark with only here and there the glimmer of embers. We could hear the talk of slave-girls[8] amongst the sheds[9]. Then we found a place deserted and silent. We waited there. She came. She came running along the shore, rapid and leaving no trace, like a leaf driven by the wind into the sea. My brother said gloomily, 'Go and take[10] her; carry her into our boat.'

---

1. **in their midst** = **among them**.
2. rajah est le nom donné aux rois en Inde et aux sultans en Malaysie.
3. **joyful**: *joyeux ; gai*.
4. **to beat up**: *frapper ; battre*.
5. **to look to** = 1)to **pay attention to** 2) **to direct one's hopes to**.
6. **to blaze**: *flamber*.

La force et l'autorité sont les prérogatives de ceux qui gouvernent, mais la résistance, le courage et l'amour sont l'apanage de tous les hommes. Mon frère me dit, "Enlève la ! Nous sommes unis comme les doigts de la main." Et je répondis, "Le plus tôt possible, car le soleil ne m'apporte aucune chaleur s'il ne brille pas sur elle ." Notre heure arriva quand le Souverain et tous les grands partirent pêcher dans l'estuaire à la lueur des torches. Il y avait des centaines de bateaux, et sur le sable blanc, entre l'eau et les forêts, on avait construit des huttes de feuilles pour la suite des rajahs. La fumée des feux de camp ressemblait à la brume bleue du soir et les voix y résonnaient joyeusement. Tandis qu'on préparait les pirogues pour la pêche, mon frère vint me trouveri et me dit : "C'est pour ce soir !" Je vérifiai le bon état de mes armes, et, le moment venu, notre pirogue prit place au milieu des autres, parés pour la nuit. Les lumières flamboyaient sur l'eau, mais derrière nous régnait une obscurité absolue. Quand ils se mirent à crier et que l'excitation les rendit comme fous nous nous esquivâmes. L'eau éteignit notre flamme, et nous nous laissâmes dériver vers le rivage où l'on ne voyait dans le noir que quelques vagues lueurs de braises. Nous entendions parler les petites esclaves parmi les huttes. Dès que nous eumes trouvé un endroit tranquille nous l'attendîmes. Nous la vîmes alors arriver en courant sur la grève ,en ne laissant pas plus de trace de son passage qu' une feuille poussée dans la mer par le vent. Mon frére dit d'un ton grave :

– Va la chercher et emporte la dans notre pirogue.

---

7. **to drop out**: *se retirer.*

8. **to swallow**: *soustraire à la vue ; absorber.*

9. La forme composée du mot permet d'indiquer qu'il sagit de jeunes filles.

10. **shed = a large structure, often open at the sides or end**.

11. Notez la construction de go avec and pour indiquer le but.

I lifted her in my arms. She panted. Her heart was beating against my breast. I said, 'I take you from those people. You came to the cry of my heart, but my arms take you into my boat against the will of the great!' 'It is right,' said my brother. 'We are men who take what we want and can hold it against many. We should have taken her in daylight.' I said, 'Let us be off'; for since she was in my boat I began to think of our Ruler's many men. 'Yes. Let us be off,' said my brother. 'We are cast out[1] and this boat is our country now--and the sea is our refuge.' He lingered with his foot on the shore, and I entreated[2] him to hasten, for I remembered the strokes of her heart against my breast and thought that two men cannot withstand[3] a hundred. We left, paddling[4] downstream close to the bank; and as we passed by the creek where they were fishing, the great shouting had ceased, but the murmur of voices was loud like the humming of insects flying at noonday[5]. The boats floated, clustered[6] together, in the red light of torches, under a black roof of smoke; and men talked of their sport. Men that boasted, and praised[7], and jeered--men that would have been our friends in the morning, but on that night were already our enemies. We paddled swiftly past. We had no more friends in the country of our birth. She sat in the middle of the canoe with covered face; silent as she is now;

---

1. **to cast out**: *chasser; renvoyer* ; → **an outcast**: *un exclu ; un paria.*
2. **to entreat**: *enjoindre, exiger.*
3. **to withstand, withstood, withstood**: *défier, résister.*
4. **to paddle**: *ramer ; pagayer.*

Je la soulevai dans mes bras. Elle haletait. Je sentais son cœur battre contre ma poitrine. Je lui dis, "Je t'enlève à ces gens. Tu as répondu à l'appel de mon cœur, mais mes bras t'emportent dans mon bateau contre la volonté des puissants !" "C'est vrai," dit mon frère. "Nous sommes de ceux qui prennent ce qu'ils convoitent et savent le défendre contre la multitude. Nous aurions dû l'enlever en plein jour." "Fuyons" lui dis-je ; car à peine était-elle dans notre pirogue que je me mis à penser à la nombreuse escorte de notre souverain. "Oui. fuyons !," dit mon frère. Nous sommes maintenant des parias et ce bateau est notre patrie – et la mer notre seul refuge." Je l'adjurai de se dépêcher, au lieu de rester là sur le sable à parler car ,en la portant, j'avais senti son cœur battre contre ma poitrine et je savais que deux hommes ne peuvent pas en défier cent. Nous partîmes en longeant la rive,et lorsque, descendant le courant nous passâmes le bras du fleuve où ils pêchaient. Les clameurs s'étaient tues, mais la rumeur des voix retentissait comme un bourdonnement d' insectes en plein midi. Les bateaux flottaient, bord à bord, à la lueur rouge des torches, sous un dais de fumée noire; et des hommes parlaient de leurs prises. Des hommes qui se vantaient, se félicitaient,et se moquaient l'un de l'autre – des hommes qui auraient été encore nos amis le matin même, mais qui ce soir là étaient déjà nos ennemis. Nous nous empressâmes de nous éloigner. Nous n'avions plus d'amis dans notre pays natal. Elle était assise au milieu de la pirogue, le visage caché ; silencieuse comme maintenant ;

---

5. **noonday** = **noon** = **midday**. *midi*
6. **clustered**: *groupé.*
7. **to praise**: *louer ; féliciter ; glorifier.*

unseeing as she is now--and I had no regret at what I was leaving because I could hear her breathing close to me--as I can hear her now."

He paused, listened with his ear turned to the doorway, then shook his head and went on:

"My brother wanted to shout the cry of challenge--one cry only--to let the people know we were freeborn robbers[1] who trusted our arms and the great sea. And again I begged him in the name of our love to be silent. Could I not hear her breathing close to me? I knew the pursuit would come quick enough. My brother loved me. He dipped[2] his paddle without a splash[3]. He only said, 'There is half a man in you now--the other half is in that woman. I can wait. When you are a whole man again, you will come back with me here to shout defiance[4]. We are sons of the same mother.' I made no answer. All my strength and all my spirit were in my hands that held[5] the paddle--for I longed to be with her in a safe place beyond the reach[6] of men's anger and of women's spite. My love was so great, that I thought it could guide me to a country where death was unknown, if I could only escape from Inchi Midah's fury and from our Ruler's sword. We paddled with haste, breathing through our teeth[7]. The blades bit deep into the smooth water. We passed out of the river; we flew[8] in clear channels[9] amongst the shallows[10]. We skirted the black coast; we skirted[11] the sand beaches where the sea speaks in whispers to the land;

---

1. **a robber**: un *voleur.*
2. **to dip**:*plonger, tremper.*
3. **a splash**: une *éclaboussure.*
4. **defiance** est synonyme de **challenge** (*attitude provocatrice*)
5. **to hold,held,held** : *tenir, détenir.*
6. **beyond the reach of**: *hors d'atteinte de.*
7. m. à m. : *"respirant à travers nos dents".*

sans rien voir, comme maintenant – et je n'avais aucun regret de tout quitter car je l'entendais respirer près de moi – comme je l'entends encore maintenant.

Il s'interrompit, tendit l'oreille, secoua la tête et continua :

– Mon frère voulait lancer un cri de défi – un seul cri- pour faire savoir aux gens que nous étions des hommes libres, des pirates confiants dans la force de leurs bras et dans l'immensité de la mer. Et, à nouveau, je le suppliai, au nom de notre affection, de garder le silence. Je l'avais là, en vie, avec moi. Je savais qu'il fallait que l'on prenne le plus d'avance possible. Mon frère avait de l'affection pour moi. Il plongea sa pagaie dans l'eau sans le moindre bruit. Il dit simplement : "À présent, tu n'est plus que la moitié d'un homme – cette femme t'a pris l'autre moitié. Mais je suis patient. Quand tu seras redevenu un homme complet, tu reviendras ici avec moi pour lancer le cri de défi. Nous sommes fils de la même mère." Je ne répondis pas. Ma force et mon esprit étaient concentrés dans mes mains, qui tenaient la pagaie – car je n'avais qu'une hâte c'était de la mettre en sécurité, à l'abri de la colère des hommes et de la méchanceté des femmes. Mon amour était si fort que je pensais qu'il pouvait me conduire à un pays où la mort n'existait pas, si seulement je pouvais échapper à la fureur d'Inchi Midah et à l'épée de notre souverain. Nous nous enfuîmes en pagayant le plus vite possible et en respirant entre nos dents. Nos pelles s'enfonçaient profondément dans l'eau calme. Nous laissâmes le fleuve derrière nous ; nous allions à toute allure, en laissant un sillage net sur les eaux peu profondes. Nous longeâmes le sombre rivage, côtoyant les plages de sable où la mer murmure à l'oreille de la terre ;

---

8. **to fly, flew, flown** = **to move suddenly and quickly.**
9. **a channel**: *un sillon.*
10. **shallow** = **not deep.** → **the shallows** = **a shallow part of a body of water.**
11. **to skirt** = **to pass along the edge of.**

and the gleam[1] of white sand flashed[2] back past our boat, so swiftly she[3] ran upon the water. We spoke not. Only once I said, 'Sleep, Diamelen, for soon you may want all your strength.' I heard the sweetness of her voice, but I never turned my head. The sun rose and still we went on. Water fell from my face like rain from a cloud. We flew in the light and heat. I never looked back, but I knew that my brother's eyes, behind me, were looking steadily[4] ahead, for the boat went as straight as a bushman[5]'s dart, when it leaves the end of the sumpitan[6]. There was no better paddler, no better steersman than my brother. Many times, together, we had won races in that canoe. But we never had put out[7] our strength as we did then--then, when for the last time we paddled together! There was no braver or stronger man in our country than my brother. I could not spare[8] the strength to turn my head and look at him, but every moment I heard the hiss[9] of his breath getting louder behind me. Still he did not speak. The sun was high. The heat clung[10] to my back like a flame of fire. My ribs[11] were ready to burst, but I could no longer get enough air into my chest[12]. And then I felt I must cry out with my last breath, 'Let us rest!' ...'Good!' he answered; and his voice was firm. He was strong. He was brave. He knew not fear and no fatigue ...My brother!''

---

1. **gleam** : *reflet ; lueur.*

2. **to flash**: *lancer un éclair.*

3. Notez l'utilisation du pronom féminin pour faire référence à un bateau.

4. **steady**: *fixe, ferme.*

5. nom donné à un indigène vivant dans la brousse

6. Nom donné à une sorte de sarbacane qu'utilisent les indigènes de Bornéo et des îles voisines.

et la blancheur du sable brillait comme l'éclair à notre passage, tant notre pirogue filait à la surface de l'eau. Nous nous taisions. Une fois seulement je dis : "Dors, Diamelen, car tu auras bientôt besoin de toutes tes forces." J'entendis sa voix douce, mais ne tournai pas la tête. Le soleil se leva nous avancions toujours. L'eau ruisselait de mon visage comme la pluie tombe d'un nuage. Nous filions dans la lumière et la chaleur. Pas une fois je ne me retournai mais je savais que mon frère, derrière moi, gardait les yeux fixés devant lui, car la pirogue allait aussi droit que la flèche d'un indigène quand elle sort de sa sarbacane. Il n'y avait pas meilleur pagayeur, meilleur barreur que mon frère. Bien des fois, ensemble, nous avions gagné des courses avec cette pirogue. Mais jamais nous n'avions déployé notre force comme cette fois là – c'ette fois-là la dernière où nous ayons pagayé ensemble ! Il n'y avait pas, dans tout le pays, d'homme plus courageux ni plus vigoureux que mon frère. Je ne pouvais pas prendre sur mes forces pour me retourner et le regarder, mais je sentais son souffle de plus en plus fort dans mon cou. Il restait toujours silencieux. Le soleil était à son zénith. La chaleur me léchait le dos comme une flamme. Je sentais ma cage thoracique prête à exploser, mais je n'arrivais plus à inspirer suffisamment d'air. Alors je sentis que je devais crier dans un dernier souffle :" Reposons-nous !"... "Bien !" répondit-il d'un ton ferme. Il était résistant. Il était courageux. Il ne connaissait ni la peur ni la fatigue... Mon frère!

---

7. **put out** a ici le sens d'*exercer, appliquer*.

8. **to spare**: *économiser, épargner*.

9. **hiss**: *sifflement*.

10. **to cling, clung, clung**: *s'accrocher / s'agripper à*.

11. **the ribs**: *les côtes*.

12. **chest**: *poitrine*.

A murmur powerful[1] and[2] gentle[3], a murmur vast[4] and faint[5]; the murmur of trembling leaves, of stirring boughs, ran through the tangled[6] depths of the forests, ran over the starry smoothness of the lagoon, and the water between the piles lapped[7] the slimy[8] timber[9] once with a sudden splash. A breath of warm air touched the two men's faces and passed on with a mournful sound-- a breath loud and short like an uneasy sigh of the dreaming earth.

Arsat went on in an even, low voice.

"We ran our canoe on the white beach of a little bay close to a long tongue of land that seemed to bar our road; a long wooded cape going far into the sea. My brother knew that place. Beyond the cape a river has its entrance, and through the jungle of that land there is a narrow path. We made a fire and cooked rice. Then we lay down to sleep on the soft sand in the shade of our canoe, while she watched. No sooner had I closed my eyes than I heard her cry of alarm. We leaped up[10]. The sun was halfway down the sky already, and coming in sight in the opening of the bay we saw a prau[11] manned by many paddlers. We knew it at once; it was one of our Rajah's praus. They were watching the shore, and saw us. They beat the gong[12], and turned the head of the prau into the bay. I felt my heart become weak within my breast. Diamelen sat on the sand and covered her face. There was no escape by sea. My brother laughed.

---

1. **powerful = producing great physical effects**.
2. Notez l'utilisation de **and** avec des adjectifs apparemment contradictoires et qui ont valeur d'oxymores.
3. **gentle = soft or low**.
4. **vast = of very great extent**.
5. **faint = lacking clearness and loudness**.
6. **tangled**: *emmêlé, enchevêtré*.
7. **to lap = to wash against or beat upon**.
8. **slimy**: *gluant, gras*.

Un murmure puissant mais doux, un murmure étendu mais léger ; le murmure de feuilles frissonnantes, de ramures agitées, parcourut les profondeurs touffues de la forêt, se répandit à la surface calme et étoilée de la lagune, et, entre les pilotis, l'eau vint brutalement éclabousser les pieux couverts de vase. Un souffle d'air chaud caressa le visage des deux hommes et s'éloigna avec un bruit lugubre – un souffle sonore et bref comme le soupir de tristesse de la terre qui rêve.

Arsat continua d'une voix égale et basse :

– Nous échouâmes notre pirogue sur la plage blanche d'une petite baie, près d'une grande langue de terre qui semblait nous barrer la route et qui formait un long promontoire boisé s'avançant profondément dans la mer. Mon frère connaissait les lieux. Au delà de ce cap il y a l'embouchure d'un fleuve et un sentier étroit qui pénètre dans la jungle. Nous fîmes du feu pour cuire le riz. Puis nous nous étendîmes pour dormir sur le sable doux à l'ombre de notre pirogue pendant qu'elle faisait le guet. A peine avais-je fermé les yeux que j'entendis son cri d'alarme. D'un bond nous fûmes sur pied. Le soleil était déjà bas dans le ciel, et à l'entrée de la baie nous aperçûmes une prao remplie de pagayeurs. Nous la reconnûmes aussitôt : c'était une des praos de notre rajah. Les hommes observaient le rivage et nous aperçurent. Ils firent retentir le gong et mirent le cap sur la baie. Je me sentis défaillir. Diamelen s'assit sur le sable et se cacha le visage. Il n'y avait pas de fuite possible par la mer. Mon frère se mit à rire.

---

9. **timber**: bois utilisé pour la construction (de batiments ou de bateaux).

10. **to leap up**: *bondir* (sur ses pieds). Peut être régulier ou irrégulier (**leapt, leapt.**)

11 **prau**: type de bateau à voiles ou à rames qui est utilisé en Malaisie, notamment par les pirates. Longs et étroits ces bateaux pouvaient faire jusqu'à 18 m de long.

12. Le gong, qui est un disque métallique que l'on frappe avec un maillet, sert à donner un signal.

He had the gun you had given him, Tuan, before you went away, but there was only a handful of powder[1]. He spoke to me quickly: 'Run with her along the path. I shall keep them back, for they have no firearms, and landing[2] in the face of a man with a gun is certain death for some. Run with her. On the other side of that wood there is a fisherman's house--and a canoe. When I have fired all the shots I will follow. I am a great runner, and before they can come up we shall be gone. I will hold out[3] as long as I can, for she is but a woman--that can neither[4] run nor fight, but she has your heart in her weak hands.' He dropped[5] behind the canoe. The prau was coming. She and I ran, and as we rushed along the path I heard shots. My brother fired--once--twice--and the booming of the gong ceased. There was silence behind us. That neck of land is narrow. Before I heard my brother fire the third shot I saw the shelving[6] shore, and I saw the water again; the mouth of a broad[7] river. We crossed a grassy glade. We ran down to the water. I saw a low hut above the black mud, and a small canoe hauled up[8]. I heard another shot behind me. I thought, 'That is his last charge.' We rushed down to the canoe; a man came running from the hut, but I leaped on him, and we rolled together in the mud. Then I got up, and he lay[9] still at my feet. I don't know whether[10] I had killed him or not. I and Diamelen pushed the canoe afloat.

---

1. m. à m." *une poignée de poudre.*"
2. **to land**: *débarquer ; atterrir.*
3. **to hold (held, held) out**: *tenir bon ; durer.*
4. Notez la construction **neither... nor...** : (*ni ... ni ...*)
5. **to drop** = **to squat or crouch** (*s'accroupir, se tapir*).

Il avait le fusil que tu lui avais donné, Tuan, avant ton départ, mais il n'avait plus guère de poudre. "Sauve-toi avec elle par ce sentier, me dit-il précipitamment. Je les tiendrai en respect, car ils n'ont pas d'armes à feu, et affronter un homme avec un fusil signifie la mort à coup sûr pour plusieurs d'entre eux . Fuis avec elle ! De l'autre côté du bois il y a une cabane de pêcheur – et une pirogue. Quand j'aurai épuisé mes munitions, je vous rejoindrai. Je suis bon à la course, et je serai parti avant qu'ils aient pu approcher. Je résisterai aussi longtemps que je pourrai, car, elle n'est qu'une femme – qui ne peut ni courir et ni se battre – mais elle tient ton cœur entre ses faibles mains." Il s'embusqua derrière le canoë. La prao approchait. Nous nous sauvâmes, elle et moi, et, tandis que nous courions à toutes jambes nous entendîmes des coups de feu. Mon frère tira – une fois – une deux fois – et le gong se tut. Le silence se fit derrière nous. Cette langue de terre est étroite. Avant d'avoir entendu mon frère tirer un troisième coup j'aperçus le rivage en pente et je vis l'eau de nouveau, l'embouchure d'un large fleuve. Nous traversâmes une clairière herbue et descendîmes en courant au bord du fleuve. Là je vis une cabane basse au dessus d'une vase noire, et une petite pirogue halée à sec. J'entendis une autre détonation derrière moi et je pensai, "C'est sa dernière charge." Nous dévalâmes jusqu'à la pirogue ; un homme accourut de la cabane mais je bondis sur lui et nous roulâmes ensemble dans la boue. Puis je me relevai et le laissai étendu, inerte, à mes pieds. J'ignore si je l'ai tué. Diamelen et moi poussâmes la pirogue à l'eau.

---

6. **to shelve** = **to slope gradually; incline.**
7. **broad**: *large.*
8. **to haul up**: *hisser ; monter.*
9. **to lie, lay, lain**: *être étendu.*
10. **whether... or...** exprime une alternative.

I heard yells[1] behind me, and I saw my brother run across the glade[2]. Many men were bounding[3] after him, I took her in my arms and threw her into the boat, then leaped in myself. When I looked back I saw that my brother had fallen. He fell and was up again, but the men were closing round him. He shouted, 'I am coming!' The men were close to him. I looked. Many men. Then I looked at her. Tuan, I pushed the canoe! I pushed it into deep water. She was kneeling[4] forward looking at me, and I said, 'Take your paddle,' while I struck[5] the water with mine. Tuan, I heard him cry. I heard him cry my name twice; and I heard voices shouting, 'Kill! Strike!' I never turned back. I heard him calling my name again with a great shriek[6], as when life is going out together with the voice[7]--and I never turned my head. My own name! . . . My brother![8] Three times he called--but I was not afraid of life. Was she not there in that canoe? And could I not with her find a country where death is forgotten--where death is unknown!"

The white man sat up[9]. Arsat rose and stood, an indistinct and silent figure above the dying embers of the fire. Over the lagoon a mist drifting and low had crept, erasing slowly the glittering images of the stars. And now a great expanse of white vapour covered the land:

---

1. **to yell**: *hurler.*
2. **glade**: *éclaircie, clairière;*
3. **to bound** = **to leap**: *bondir ; sauter.*
4. **to kneel (knelt, knelt) forward**: *se pencher en avant en étant à genoux.*
5. **to strike, struck, struck**: *frapper.*
6 **to shriek**: *crier d'une voix perçante, hurler.*
7. m. à m. : *"quand la vie s'éteint avec la voix".*

J'entendis des hurlements derrière moi et je vis mon frère traverser la clairière à toute allure. Il avait une meute d'hommes à ses trousses. Je pris Diamelen dans mes bras et la jetai dans le bateau, puis j'y sautai moi-même. En me retournant, je vis que mon frère était tombé. Il se releva immédiatement mais les hommes l'encerclaient. Il cria : "J'arrive !". Ils le cernaient. Je jetai un regard. Ils étaient nombreux, très nombreux. Puis je la regardai, elle. Et, tu vois, je poussai la pirogue ! Je la poussai en pleine eau. Diamelen était à genoux à l'avant et me regardait, et je lui ai dit : "Prends ta pagaie !" lui dis-je tandis que de la mienne. je frappais l'eau. C'est à ce moment là, Tuan, que j'ai entendu mon frère crier. Crier mon nom par deux fois ; puis des voix brailler "Tue-le ! Frappe-le !" Pas une fois je ne me suis retourné. Je l'ai entendu m'appeler encore une fois, en poussant un cri déchirant, comme lorsque la vie s'en va en même temps que la voix – et pas une seule fois je n'ai tourné la tête. Mon propre nom !... Mon frère!

Par trois fois, il m'a appelé – mais la vie ne me faisait pas peur. Diamelen n'était-elle pas là, dans cette pirogue ? Et ne pourrais-je pas découvrir avec elle un pays où la mort est oubliée – où on ne connait pas la mort !

Le Blanc se redressa. Arsat se leva et dressa sa silhouette obscure et silencieuse au dessus des dernières braises du feu. Sur la lagune une brume flottante s'était glissée à la surface de l'eau, effaçant peu à peu le reflet scintillant des étoiles. Et, à présent, une immense nappe de vapeur blanche couvrait la terre :

---

8. Arsat a un trop fort sentiment de culpabilité vis à vis de son frère. En ne l'attendant pas et en n'ayant même pas le courage de se retourner quand son propre frère l'a appelé il justifie le jugement que celui-ci portait sur lui "**half a man**". L'amour l'a rendu lâche.

9. **sit up** indique qu'il passe d'une position couchée à la position assise.

it flowed cold and gray in the darkness, eddied[1] in noiseless whirls round the tree-trunks and about the platform of the house, which seemed to float upon a restless and impalpable illusion of a sea. Only far away the tops of the trees stood outlined on the twinkle[2] of heaven, like a sombre and forbidding[3] shore--a coast deceptive[4], pitiless and black.

Arsat's voice vibrated loudly in the profound peace.

"I had her there! I had her! To get her I would have faced all mankind. But I had her--and--"

His words went out ringing into the empty distances. He paused, and seemed to listen to them dying away very far--beyond help[5] and beyond recall[6]. Then he said quietly--

"Tuan, I loved my brother."

A breath of wind made him shiver. High above his head, high above the silent sea of mist the drooping leaves of the palms rattled[7] together with a mournful and expiring[8] sound. The white man stretched his legs. His chin rested on his chest, and he murmured sadly without lifting his head--

"We all love our brothers."

Arsat burst out[9] with an intense whispering violence--

"What did I care[10] who died? I wanted peace in my own heart."

---

1. **eddy = whirl**: *tourbillon.*
2. **to twinkle**: *scintiller ; briller.*
3. **forbidding**: *menaçant, sinistre.*
4. **deceptive**: *trompeur.*
5. **help**: *aide.*
6. **recall**: *rappel.*

elle circulait, froide et grise, dans les ténèbres, tournoyait en spirales silencieuses autour des troncs d'arbre et de la plate-forme de la maison, qui semblait portée par une mer irréelle, impalpable et agitée. Seules, au loin, les cimes des arbres se découpaient sur le scintillement du ciel comme un rivage sombre et menaçant – une côte sournoise, impitoyable et obscure.

La voix d'Arsat retentit avec force dans le silence profond.

– Je l'avais à mes côtés ! Je l'avais ! Pour l'obtenir j'aurais affronté la terre entière. Mais je l'avais – et...

L'écho de ses paroles se perdit au loin, dans le vide. Il se tut, sembla l'écouter disparaître – irrémédiablement, à tout jamais. Puis il dit tranquillement :

– Tuan, j'aimais mon frère.

Un souffle de vent le fit frissonner. Loin au dessus de sa tête, loin au dessus de cet silencieux océan de brume, les feuilles pendantes des palmiers s'entrechoquèrent dans un râle lugubre. Le Blanc étendit les jambes. Le menton sur la poitrine, il murmura, tristement, sans relever la tête :

– Nous aimons tous nos frères.

Arsat s'exclama, à voix basse mais avec une extrême violence :

– Je me moquais bien de savoir qui mourait. Ce que je voulais c'était la paix dans mon cœur.

---

7. **to rattle** = **to give out a rapid succession of short, sharp sounds.** → **a rattle**: *un hochet.*

8. **to expire**: *expirer ; mourir.*

9. **to burst (burst, burst) out**: *éclater; exploser.*

10. **to care** = **to be concerned**.

He seemed to hear a stir in the house--listened--then stepped in noiselessly. The white man stood up. A breeze[1] was coming in fitful puffs[2]. The stars shone paler as if they had retreated into the frozen depths of immense space. After a chill[3] gust of wind there were a few seconds of perfect calm and absolute silence. Then from behind the black and wavy[4] line of the forests a column of golden light shot up into the heavens and spread over the semicircle of the eastern horizon. The sun had risen. The mist lifted[5], broke into drifting patches, vanished into thin flying wreaths[6]; and the unveiled lagoon lay, polished and black, in the heavy shadows at the foot of the wall of trees. A white eagle rose over it with a slanting[7] and ponderous[8] flight, reached the clear sunshine and appeared dazzlingly[9] brilliant for a moment, then soaring[10] higher, became a dark and motionless speck[11] before it vanished[12] into the blue as if it had left the earth forever. The white man, standing gazing upwards before the doorway, heard in the hut a confused and broken murmur of distracted[13] words ending with a loud groan. Suddenly Arsat stumbled[14] out with outstretched hands, shivered, and stood still for some time with fixed eyes. Then he said--

"She burns no more."

Before his face the sun showed its edge above the tree-tops rising steadily.

---

1. **breeze**: *brise ; vent léger.*
2. **puff**: *bouffée.*
3. **chill** = **chilly, cold**: *frais, froid.*
4. **wavy**: *ondulé.*
5. **to lift**: *se lever.*
6. **wreath** : *guirlande.*
7. **slanting**: *en biais ; de travers ; oblique.*
8. **ponderous** = **heavy**: *massif.*

Il crut entendre bouger dans la maison – tendit l'oreille – puis entra sans bruit. Le Blanc se leva. La brise arrivait par bouffées irrégulières. Les étoiles pâlissaient comme si elles s'étaient retirées dans les profondeurs glacées de l'infini. Après une risée de vent frais, il y eut quelques secondes de calme absolu. Puis, derrière la ligne sombre et ondoyante de la forêt, une colonne de lumière dorée jaillit dans les cieux et se répandit en demi-cercle sur l'horizon. Le soleil venait de poindre. La brume s'était dissipée se dispersant en petites nappes qui, à leur tour, disparurent en fines volutes dans les airs. Et , privée de son ,la lagune apparut, luisante et noire, sous les ombres épaisses de sa muraille d'arbres. Un aigle blanc prit majestueusement son essor et s'envola dans le ciel pour aller dans la lumière du soleil où il apparut, éblouissant, avant de s'élever encore plus haut jusqu'à ne devenir qu'un point sombre et immobile qui s'estompa dans l'azur, comme s'il avait quitté ce monde pour toujours. Le Blanc, qui regardait en l'air, debout devant la porte, entendit dans la cabane, un murmure entrecoupé et confus de paroles éperdues qu'acheva un profond gémissement. Soudain Arsat sortit en chancelant, les mains tendues, frissonna et resta un moment sans bouger, le regard fixe.

– Elle ne brûle plus, dit-il enfin.

Devant lui, dans son ascension régulière, le soleil montrait son limbe au ras de la cime des arbres.

---

9. **to dazzle**: *miroiter; éblouir.*
10. **to soar**: *s'élevr, s'envoler.*
11. **a speck** = **something appearing small by reason of distance.**
12. **to vanish** = **to disappear from sight; to become invisible.**
13. **distraction**: *égarement ; folie.*
14. **to stumble** = **to walk unsteadily.**

The breeze freshened[1]; a great brilliance burst upon the lagoon, sparkled[2] on the rippling[3] water. The forests came out of the clear shadows of the morning, became distinct[4], as if they had rushed nearer--to stop short in a great stir of leaves, of nodding boughs[5], of swaying branches. In the merciless sunshine the whisper of unconscious[6] life grew louder, speaking in an incomprehensible voice round the dumb darkness of that human sorrow. Arsat's eyes wandered[7] slowly, then stared at the rising sun.

"I can see nothing," he said half aloud to himself.

"There is nothing," said the white man, moving to the edge of the platform and waving his hand to his boat. A shout came faintly over the lagoon and the sampan began to glide towards the abode[8] of the friend of ghosts.

"If you want to come with me, I will wait all the morning," said the white man, looking away upon the water.

"No, Tuan," said Arsat, softly. "I shall not eat or sleep in this house, but I must first see my road. Now I can see nothing--see nothing! There is no light and no peace in the world ; but there is death--death for many. We are sons of the same mother--and I left him[9] in the midst of enemies; but I am going back now."

He drew a long breath[10] and went on in a dreamy tone:

---

1. **to freshen** = to become brisk; to increase in strength.
2. **to sparkle**: *étinceler; briller.*
3. **rippling** : *qui ondule.*
4. **distinct**: *net.*
5. Les grosses branches (**boughs**) se balancent verticalement (**to nod**) alors que les plus petites (**branches**) s'agitent de droite et de gauche (**to sway**).
cf. : **to nod** = to droop or bend with a motion; **to sway** = to move or swing to and fro.

La brise fraîchit ; une flot de lumière envahit soudain la lagune et étincela sur l'eau frémissante. La forêt sortit de la pénombre matinale, prit formecomme si elle s'était brusquement rapprochée, pour s'arrêter au milieu d'une grande agitation de feuilles, de rameaux branlants, de branches oscillantes. Sous le soleil implacable, la rumeur de la vie de la nature s'amplifia, recouvrant de son chuchotement incompréhensible le silence impénétrable de cette douleur humaine. Arsat laissa errer ses regards lentement, puis il les fixa sur le soleil levant.

– Je ne vois rien, murmura-t-il.

– Il n'y a rien, fit le Blanc, en avançant jusqu'au bord de la plate-forme et faisant un signe de la main vers son embarcation. Un cri lui parvint faiblement de l'autre côté de la lagune et le sampan se mit à glisser vers la demeure de l'ami des fantômes.

– Si tu veux venir avec moi ,je t'attendrai toute la matinée, dit le Blanc, en regardant la mer.

– Non, Tuan, dit paisiblement Arsat. Je ne vais plus manger ni dormir dans cette maison, mais il faut d'abord que je voie mon chemin. Or je ne vois rien – rien ! Il n'y a ni lumière ni paix en ce monde ; mais il y a la mort – la mort pour beaucoup. Nous étions fils de la même mère – et je l'ai abandonné aux mains de l' ennemi ; mais maintenant je retourne là-bas.

Il respira profondément et ajouta, comme dans un rêve :

---

6. **unsconscious life** fait référence à tous les organismes vivants (animaux et plantes) qui n'ont pas conscience d'être en vie.

7. **to wander**: errer.

8. **abode**= **dwelling, home**.

9. Il s'agit d'Arsat qui est hanté par le fantôme de son frère et, maintenant, de sa femme.

0. **to draw a breath** : inspirer.

"In a little while[1] I shall see clear enough to strike--to strike. But she has died, and . . . now . . . darkness."

He flung[2] his arms wide open, let them fall along his body, then stood still with unmoved face and stony eyes, staring at the sun. The white man got down into his canoe. The polers ran smartly[3] along the sides of the boat, looking over their shoulders at the beginning of a weary[4] journey. High in the stern[5], his head muffled up[6] in white rags[7], the juragan[8] sat moody[9], letting his paddle trail in the water. The white man, leaning with both arms over the grass roof of the little cabin, looked back at the shining ripple of the boat's wake. Before the sampan passed out of the lagoon into the creek he lifted his eyes. Arsat had not moved. He stood lonely in the searching[10] sunshine; and he looked beyond the great light of a cloudless[11] day into the darkness of a world of illusions.

---

1. **a while**: *moment, laps de temps.*
2. **to fling, flung, flung = to throw with violence.**
3. **smartly = quicly, briskly.**
4. **weary = characterizd by or causing fatigue.**
5. **stern**: *arrière d'un bateau ; poupe.*
6. **muffled up**: *emmitouflé, caché.*

– D'ici peu, j'y verrai assez clair pour frapper – frapper. Mais elle est morte, et... maintenant... les ténèbres.

Il ouvrit tout grands les bras, les laissa retomber le long de son corps, puis resta immobile, le visage impassible, le regard froid, à fixer le soleil. Le Blanc descendit dans sa pirogue. Les hommes, manœuvrant leur perche, coururent lestement à côté du bateau, jetant un regard par dessus leur épaule, en ce début de voyage harassant. Juché à l'arrière, la tête emmitouflée de chiffons blancs, le juragan laissait d'un air maussade sa pagaie traîner dans l'eau. Le Blanc les deux bras appuyés sur le toit d'herbes de la petite cabine, contemplait à l'arrière l' écume miroitante que laissait le bateau dans son sillage. Avant que le sampan ne passât de la lagune dans le chenal, il leva les yeux. Arsat n'avait pas bougé. Il demeurait, solitaire, sous le soleil éblouissant ; et son regard, par delà l'éclatante lumière d'une journée radieuse, plongeait dans les ténèbres d'un monde d'illusions.

---

7. **a rag = a worthless piece of cloth**.
8. En Indonésien le juragan est le propriétaire d'une entreprise.
9. **moody**: *morose*.
10. **searching = piercing, sharp**. cf. : **a searching wind**.
11. **cloudless**: *sans nuages*.

Hector Hugh Munro dit SAKI
(1870-1916)

Hugh Hector Munro, né en Birmanie, perdit sa mère très tôt et fut envoyé en Angleterre par son père, colonel de l'armée des Indes, pour y être élevé par deux tantes, vieilles filles autoritaires et ennuyeuses.La tristesse de cette enfance lui permit sans doute de développer, comme meilleur moyen de défense, un extraordinaire sens de l'humour et fit de lui un ironiste déroutant et émouvant.

A la fin de ses études secondaires, il retourna en Birmanie où il s'engagea dans la police militaire mais, atteint par la malaria, il dut revenir en Grande-Bretagne, où il devint journaliste. Il travailla comme grand reporter au *Morning Post* de 1906 à 1908 et voyagea dans toute l'Europe. A partir de 1900 il commença une carrière littéraire sous le pseudonyme de **Saki**, choisi en référence à un personnage du poète persan Omar Khayyam. Il écrivit un essai sur l'Empire russe, des satires politiques, un peu de théâtre et deux romans aujourd'hui tombés dans l'oubli mais surtout plus de 140 nouvelles rassemblées dans des recueils comme *Reginald* (1904), *Reginald in Russia* (1910), *The Chronicles of Clovis* (1911) et *Beasts and Superbeasts* (1914).

Il s'engagea volontairement dans l'armée anglaise en 1914 et mourut sur le front de la Somme le 13 novembre 1916.Ses dernières paroles, adressées à un camarade : "Bon Dieu, éteignez cette cigarette !" auraient pu être la phrase finale d'une autre de ses nouvelles. Influencé par **Oscar Wilde**, **Lewis Carroll** et **Kipling** il eut lui-même une influence déterminante sur des auteurs de nouvelles qui le suivirent, en particulier **P. G. Wodehouse**.

Dans toutes ces *short stories* il donne libre cours à son imagination et à son humour grinçant. Ce sont des histoires sur des histoires et **Saki** permet toujours au lecteur de savoir qui raconte cette histoire mais aussi comment et pourquoi il la raconte. De ce point de vue il est résolument moderne.

Le personnage de Clovis, pique-assiette des dîners mondains, dont le lecteur adopte le point de vue dans *Tobermory* permet à l'auteur de se venger avec délectation de la "bonne société". Clovis révèle l'aspect comique de chaque situation et se moque de Lady Blemley et de ses hôtes dont l'infortuné héros Cornelius Appin, sa dernière victime à qui il offre comme éloge funèbre la cinglante remarque qui clôt la nouvelle.

TOBERMORY

(Publié dans *THE WESTMINSTER GAZETTE*) (1909)

(Publié dans *THE CHRONICLES OF CLOVIS*) (1911)

It was a chill, rain-washed afternoon of a late August day, that indefinite season when partridges are still in security or cold storage, and there is nothing to hunt— unless one is bounded on the north by the Bristol Channel, in which case one may lawfully gallop after fat red stags. Lady Blemley's house-party was not bounded on the north by the Bristol Channel, hence there was a full gathering of her guests round the tea-table on this particular afternoon. And, in spite of the blankness of the season and the triteness of the occasion, there was no trace in the company of that fatigued restlessness which means a dread of the pianola and a subdued hankering for auction bridge. The undisguised open-mouthed attention of the entire party was fixed on the homely negative personality of Mr. Cornelius Appin. Of all her guests, he was the one who had come to Lady Blemley with the vaguest reputation. Some one had said he was "clever," and he had got his invitation in the moderate expectation, on the part of his hostess, that some portion at least of his cleverness would be contributed to the general entertainment. Until tea-time that day she had been unable to discover in what direction, if any, his cleverness lay. He was neither a wit nor a croquet champion, a hypnotic force nor a begetter of amateur theatricals. Neither did his exterior suggest the sort of man in whom women are willing to pardon a generous measure of mental deficiency.

---

1. littéralement: *lavé par la pluie*.

2. **one** (*on*) est ici le pronom indéfini.

3. **bounded**: *délimité, bordé*. cf. : **boundary**: *limite*.

4. Le canal de Bristol est un bras de mer, long de 135 km, séparant le sud du Pays de Galles et le sud-ouest de l'Angleterre. Sur ce bras de mer qui part de l'estuaire du Severn se trouvent au sud Bristol et au nord Cardiff et Swansea.

5. Il s'agit d'une référence malicieuse à la chasse à courre, distraction très aristocratique.

6. **red stag** (cervus elaphus): c'est le cerf d'Europe, appelé aussi cerf noble, cerf élaphe ou cerf rouge.

7. **hence**: (adverbe): *donc* C'est ici un synonyme de **therefore**.

8. **blankness** = **the state of being blank, void; emptiness**.

9. **to be restless**: *s'agiter*. **restless**: *impatient*.

C'était par une froide et pluvieuse après-midi de la fin du mois d'août, saison indécise où les perdrix qui ne sont pas en chambre froide sont encore en sécurité ou, et où il n'y a rien à chasser – à moins que l'on ne se trouve au sud du canal de Bristol, auquel cas on est autorisé à galoper derrière de beaux cerfs gras et roux. La demeure de Lady Blemley n'était pas au sud du canal de Bristol, par conséquent elle avait pu réunir de nombreux hôtes autour de sa table cet après-midi là. Et, malgré le peu de ressources qu'offraient la saison et la banalité de l'occasion, on ne décelait chez les invités aucun signe de cette lassitude fébrile qui fait généralement planer sur la compagnie la menace d'une partie de carte ou d'un récital de piano mécanique. Tout le monde portait une attention, béate et ostensible à un personnage prosaïque et insignifiant nommé M Cornélius Appin. De tous les hôtes de Lady Blemley c'était celui qu'on connaissait le moins. Quelqu'un avait dit qu'il était 'intelligent', et la maîtresse de maison l'avait invité avec le modeste espoir qu'il pourrait faire bénéficier la compagnie d'une partie de ses talents. Quels étaient-ils au juste, elle n'aurait pu le déterminer avant l'heure du thé. Ni bel esprit ni champion de croquet, il n'intéressait et ne faisait rire personne. Son apparence extérieure n'était non plus celle du genre d'hommes à qui les femmes sont prêtes dans une large mesure à pardonner leurs déficiences intellectuelles.

---

10. Le pianola est un piano mécanique. qui grâce à un système pneumatique,reproduit la musique à partir de rouleaux en papier ou en carton perforé.

11. **hankering for**: *désir intense.*

12. **auction**: *enchères.* **auction bridge** est une variante ancienne du jeu de bridge.La variante moderne est appelée **contract bridge**.

13. Le croquet est un jeu d'extérieur constitué de boules en bois poussées à l'aide de maillets à travers des arceaux. Il était très populaire à l'époque

14. cf. : **to beget, begot, begotten**: *engendrer.*

He had subsided[1] into mere Mr. Appin, and the Cornelius seemed a piece of transparent[2] baptismal bluff. And now he was claiming to have launched on the world a discovery beside which the invention of gunpowder, of the printing-press, and of steam locomotion[3] were inconsiderable trifles. Science had made bewildering[3] strides[4] in many directions during recent decades, but this thing seemed to belong to the domain of miracle rather than to scientific achievement.

"And do you really ask us to believe," Sir[5] Wilfrid was saying, "that you have discovered a means[6] for instructing animals in the art of human speech, and that dear old Tobermory has proved your first successful pupil?"

"It is a problem at which I have worked for the last seventeen years," said Mr. Appin, "but only during the last eight or nine months have I been[7] rewarded with glimmerings[8] of success. Of course I have experimented with thousands of animals, but latterly[9] only with cats, those wonderful creatures which have assimilated themselves so marvellously with our civilization while retaining all their highly developed feral[10] instincts. Here and there among cats one comes across an outstanding superior intellect, just as one does among the ruck[11] of human beings, and when I made the acquaintance of Tobermory a week ago I saw at once that I was in contact with a "Beyond[12]-cat" of extraordinary intelligence.

---

1. **to subside**: *s'estomper, décroître, s'apaiser*

2. **transparent** a ici le sens de **blatant, unsubtle** (*cousu de fil blanc*).

3. Rappelons que l'invention de la poudre (vers l'an 1000 en Chine), de l'imprimerie (par Gutenberg en 1440) et de la machine à vapeur (par Denis Papin en 1687) ont chacune révolutionné le monde.

4. **bewildering**: *déconcertant, déroutant*

5. **stride**: *enjambée, foulée, pas.*

6. **Sir** (avec une majuscule) est un titre honorifique utilisé devant un nom d'un homme qui appartient à la noblesse ou a été anobli.

7. **means** (= **instrument, method used to attain an end**) peut s'utiliser comme singulier ou comme pluriel. Il peut être utilisé aussi avec **of** ex. : **There are several means of solving the problem.**

On l'appelait simplement M Appin car son prénom, Cornélius, semblait être une facétie à laquelle s'étaient livré ses parents. Et voilà que ce personnage sans envergure prétendait pouvoir révéler au monde une découverte à côté de laquelle l'invention de la poudre à canon, de l'imprimerie, et de la machine à vapeur étaient de vulgaires broutilles. La science avait, certes, depuis plusieurs décennies, fait des progrès époustouflants dans de nombreux domaines mais cette invention relevait davantage du miraculeux que du scientifique proprement dit.

— Et vous croyez vraiment que l'on va croire, disait Sir Wilfrid, que vous avez découvert un moyen d'apprendre aux animaux le langage des hommes et que c'est ce bon vieux Tobermory qui est le premier élève avec qui vous ayez réussi.

— C'est un problème sur lequel je travaille depuis dix-sept ans, dit M Appin, mais ce n'est ce n'est qu'au cours des huit ou neuf derniers mois que mes efforts ont été couronnés de succès. Bien sûr, j'ai fait des expériences avec des milliers d'animaux, mais depuis peu de temps seulement avec des chats, qui sont des créatures extraordinaires qui se sont adaptées admirablement à notre civilisation tout en gardant une nature sauvage, très développée. On rencontre parfois, chez les chats, un être doué d'une intelligence supérieure, exactement comme chez les hommes, et quand j'ai fait connaissance de Tobermory la semaine dernière, j'ai vu tout de suite que j'avais affaire à un chat d'une intelligence exceptionnelle de ceux que j'appelle "les Surchats".

---

8. La place de **only** en début de phrase oblige à une inversion auxiliaire + sujet + verbe.

9. **to glimmer** = to shine faintly or unsteadily; to appear faintly or dimly.

10. **latterly** = lately.

11. **feral** ['fɪərəl] = **wild**.

12. **ruck** = **a large number or quantity; the great mass of undistinguished persons or things**. A aussi le sens de *mêlée* (rugby).

12. **beyond** = **outside the understanding; superior to**.

I had gone far along the road to success[1] in recent experiments; with Tobermory, as you call him, I have reached the goal."

Mr. Appin concluded his remarkable statement in a voice which he strove[2] to divest[3] of a triumphant inflection. No one said "Rats[4]," though Clovis's lips moved in a monosyllabic contortion, which probably invoked[5] those rodents[6] of disbelief.

"And do you mean to say," asked Miss Resker, after a slight pause, "that you have taught Tobermory to say and understand easy sentences of one syllable?"

"My dear Miss Resker," said the wonder-worker[7] patiently, "one teaches little children and savages and backward[8] adults in that piecemeal[9] fashion; when one has once solved the problem of making a beginning with an animal of highly developed intelligence one has no need for those halting[10] methods. Tobermory can speak our language with perfect correctness."

This time Clovis very distinctly said, "Beyond-rats!" Sir Wilfred was more polite but equally sceptical.

"Hadn't we better have the cat in and judge for ourselves?" suggested Lady[11] Blemley.

Sir Wilfred went in search of the animal, and the company settled themselves down to the languid[12] expectation of witnessing some more or less adroit[13] drawing-room ventriloquism.

---

1. lit. : *"loin sur la route du succcès"*.
2. **to strive ,strove, striven**: *s'efforcer de.*
3. **to divest** = **to deprive**: *priver.*
4. "**Rats!**", qui évoque l'animal, est une interjection utilisée pour exprimer l'incrédulité.
5. **to invoke**: *invoquer.*
6. **a rodent**: *un rongeur.*
7. **to make wonders**: *faire des merveilles.*

J'avais bien avancé sur la route du succès lors de mes dernières expériences mais avec Tobermory, j'ai atteint mon but.

M Appin conclut son remarquable exposé en s'efforçant de gommer de sa voix toute inflexion triomphaliste. Personne ne dit " Sornettes !", même si c'était le mot l'on pouvait lire sur les lèvres de Clovis, qui avait esquissé une grimace d'incrédulité.

– Et voulez-vous dire, demanda Mlle Resker, après un court silence, que vous avez appris à Tobermory à dire et à comprendre des mots simples d'une seule syllabe ?

– Ma chère Mademoiselle Resker, dit calmement notre savant, vous faites référence à la méthode que l'on utilise pour les petits enfants, les primitifs et même les adultes attardés ; mais avec un animal aussi développé intellectuellement que Tobermory, on n'a pas besoin passer par le b.a.-ba. Il sait parfaitement parler notre langue.

Cette fois on put très nettement entendre Clovis s'exclamer :

– Serpent à sornettes !

Sir Wilfrid fut plus poli, mais tout aussi sceptique.

– Faisons venir le chat et jugeons par nous-mêmes ! proposa Lady Blemley.

Sir Wilfrid alla chercher l'animal, et l'assemblée se calma en attendant avec nonchalance d'assister au numéro d'un habile ventriloque de salon.

---

8. **backward** : *arriéré*.

9. **piecemeal** = **accomplished or made in stages**.

10. **halting**: *hésitant*. ➙ **to halt**: *interrompre ; bloquer*.

11. **Lady** (avec une majuscule) est en Grande-Bretagne utilisé devant le nom d'une femme qui est la fille ou l'épouse d'un noble.

12. **languid**: *langoureux ; alangui*.

13. **adroit** [ə'drɔit] : *habile ; ingénieux*.

In a minute Sir Wilfred was back in the room, his face white beneath its tan[1] and his eyes dilated with excitement.

"By Gad[2], it's true!"

His agitation was unmistakably genuine, and his hearers started forward[3] in a thrill of wakened interest. Collapsing into an armchair he continued breathlessly[4]:

"I found him dozing in the smoking-room[5], and called out to him to come for his tea. He blinked[6] at me in his usual way, and I said, 'Come on, Toby; don't keep us waiting' and, by Gad! he drawled[7] out in a most horribly natural voice that he'd come when he dashed[8] well pleased! I nearly jumped out of my skin!"

Appin had preached to absolutely incredulous hearers; Sir Wilfred's statement carried instant conviction. A Babel[9]-like chorus of startled exclamation arose, amid which the scientist sat mutely enjoying the first fruit of his stupendous[10] discovery.

In the midst of the clamour Tobermory entered the room and made his way with velvet tread[11] and studied unconcern across the group seated round the tea-table.

A sudden hush of awkwardness and constraint fell on the company. Somehow there seemed an element of embarrassment in addressing on equal terms a domestic cat of acknowledged dental ability.

"Will you have some milk, Tobermory?" asked Lady Blemley in a rather strained voice.

"I don't mind if I do," was the response, couched[12] in a tone of even indifference.

---

1. **tan**: *bronzage, hâle.*
2. **Gad = God**.
3. **forward** (adverbe): *en avant.*
4. Notez la construction du mot. À partir de **breath** (*souffle*), on fait l'adjectif **breathless** et à partir de ce dernier l'adverbe **breathlessly**.
5. Pièce fréquentée exclusivement par les fumeurs à l'époque où dans la bonne société seuls les hommes s'adonnaient à cette activité. D'où l'utilisation de **smoking-room** comme adjectif voulant dire "*indécent, obscène*", en référence au type de vocabulaire qu'on pouvait se permettre d'utiliser en ce lieu ex. : **smokingroom humour**.

Quelques instants plus tard Sir Wilfrid revint dans la pièce, en blémissant sous son bronzage et avec les prunelles dilatées par l'émotion.

– Sacrebleu, c'est la vérité !

Son agitatation n'était pas feinte, et un frisson de curiosité parcourut l'assistance qui frémissait d'impatience.

Il s'effondra dans un fauteuil et continua, pantelant :

– Je l'ai trouvé somnolant dans le fumoir et l'ai appelé pour venir prendre le thé. Il m'a regardé en plissant les yeux comme d'habitude,et j'ai dit , "Allez, Toby; ne nous fait pas attendre"; et, parbleu ! L'animal a dit d'une voix traînante, plus effroyablement vraie que nature, qu'il viendrait quand bon lui semblerait ! J'ai failli tomber à la renverse !

Appin n'avait pas convaincu l'assistance mais les paroles de Sir Wilfrid emportèrent immédiatement la conviction. Un brouhaha de stupéfaction s'éleva et au milieu de ce tintamarre l'homme de science récoltait, en les savourant tranquillement, les premiers fruits de son incroyable découverte.

Au milieu de ce tohu-bohu Tobermory entra dans la pièce et s'avança à pas de velours et avec une nonchalance étudiée jusqu'au groupe assis autour de la table.

Un silence de gêne et d'inquiétude tomba aussitôt sur l'assistance. Tous semblaient trouver contrariant de s'adresser sur un pied d'égalité une bête tenue jusqu'alors pour un simple animal domestique .

– Tu veux du lait, Tobermory ? demanda Lady Blemley, d'un voix un peu crispée.

– Pourquoi pas répondit-il le chat, d'un ton d'une pardaite indifférence.

---

6. **to blink**: *cligner des yeux* cf. : **blinker**: *œillière* (cheval) ; *clignotant* (auto).

7. **to drawl = to speak slowly, usually prolonging the vowels**.

8. **to dash = to move with violence = to rush**.

9. Dans la bible il est dit que les hommes souhaitaient bâtir une tour pour atteindre le ciel. Pour contrecarrer leur projet orgueilleux Dieu multiplia les langues pour qu'ils ne se comprennent plus. C'est ce qui leur fit abandonner la construction.

10. **stupendous**: *prodigieux ; fantastique ; incroyable*.

11. **tread**: *semelle* (soulier) ; *chape* (pneu). → **to tread, trod, trodden**: *poser le pied*.

12. **to couch** : *formuler, exprimer ; rédiger*.

A shiver of suppressed[1] excitement went through the listeners, and Lady Blemley might[2] be excused for pouring out[3] the saucerful[4] of milk rather unsteadily.

"I'm afraid I've spilt[5] a good deal of it," she said apologetically[6].

"After all, it's not my Axminster[7]," was Tobermory's rejoinder.

Another silence fell on the group, and then Miss Resker, in her best district-visitor manner, asked if the human language had been difficult to learn. Tobermory looked squarely[8] at her for a moment and then fixed his gaze[9] serenely on the middle distance[10]. It was obvious that boring questions lay outside his scheme[11] of life.

"What do you think of human intelligence?" asked Mavis Pellington lamely[12].

"Of whose intelligence in particular?" asked Tobermory coldly.

"Oh, well, mine for instance," said Mavis with a feeble[13] laugh.

"You put me in an embarrassing position," said Tobermory, whose tone and attitude certainly did not suggest a shred of embarrassment. "When your inclusion in this house-party was suggested Sir Wilfrid protested that you were the most brainless[14] woman of his acquaintance, and that there was a wide distinction between hospitality and the care of the feeble-minded.

---

1. **suppressed**: *supprimé ; étouffé ; contenu.*

2. **might** indique ici l'autorisation plutôt que l'éventualité.

3. **pour out** (*épancher*) est d'un style littéraire.

4. **a saucer**: *une soucoupe.* → le suffixe '-ful' exprime l'idée de contenu ex. : **a spoonful** (*cuillerée*), **a handful** (*poignée*) etc.

5. **to spill** (*renverser, répandre*) peut être régulier ou irrégulier (**spilt, spilt:**).

6. **to apologize** (*présenter des excuses*) donne l'adjectif **apologetic** et l'adverbe **apologetically** (= **in an apologetic manner**).

7. Axminster est le nom d'une ville du Sud Ouest de l'Angleterre et désigne un type de tapis assez rigide avec un motif complexe et coloré.

Un frisson d'excitation contenue parcourut l'assistance qui regarda, avec sympathie, Lady Blemley emplir une soucoupe de lait qu'elle tendit à Tobermory d'une main tremblante.

– Je crois bien que j'en ai répandu à côté, fit-elle en s'excusant

– Bah, répliqua l'animal, ce n'est pas à moi ce beau tapis.

La conversation s'arrêta net avant que Mademoiselle Resker ne demandât, de son ton docte et professoral, si cela avait été difficile d'apprendre le langage des hommes. Tobermory la regarda droit dans les yeux quelques instants puis fixa sereinement le regard sur l'auditoire. Manifestement, il n'était pas du genre à répondre à des questions aussi stupides.

– Que pensez-vous de l'intelligence des hommes ? demanda maladroitement Mavis Pellington.

– De l'intelligence de qui, parlez-vous ? dit Tobermory froidement.

– Eh bien, de la mienne, par exemple, dit Mavis, avec un petit rire forcé.

– Vous me mettez dans une position embarrassante, dit Tobermory, dont, en vérité, ni le ton ni l'attitude ne trahissaient le moindre embarras. Quand on a proposé de vous inviter, Sir Wilfrid a objecté que vous étiez la femme la plus bête qu'il connaissait, et qu'il y avait une différence entre l'hospitalité et l'assistance aux simples d'esprit.

---

8. **squarely**: *directement ; sans faux-fuyant ; honnêtement.*

9. **to gaze**: *regarder fixement ; contempler.*

10. **middle distance** fait référence à ceux qui se trouvent entre le premier rang et le fond de la salle.

11. **scheme**: *projet ; plan.*

12. **lame** : *faible ; boiteux.* ➞ **lamely = in a weak, unconvincing manner.**

13. **feeble**: *faible.*

14. **brain**: *cerveau.* ➞ **brainless** signifie littéralement "*sans cerveau*".

Lady Blemley replied that your lack of brain-power was the precise quality which had earned you your invitation, as you were the only person she could think of who might be idiotic enough to buy their old car[1]. You know, the one they call 'The Envy of Sisyphus[2],' because it goes quite nicely up-hill if you push it."

Lady Blemley's protestations would have had greater effect if she had not casually[3] suggested to Mavis only that morning that the car in question would be just the thing for her down at her Devonshire[4] home.

Major Barfield plunged[5] in heavily to effect a diversion.

"How about your carryings-on[6] with the tortoise-shell puss up at the stables, eh?"

The moment he had said it every one realized the blunder.

"One does not usually discuss these matters in public," said Tobermory frigidly[7]. "From a slight observation of your ways since you've been in this house I should imagine you'd find it inconvenient[8] if I were to shift the conversation to your own little affairs."

The panic which ensued was not confined to the Major.

"Would you like to go and see if cook has got your dinner ready?" suggested Lady Blemley hurriedly, affecting to ignore the fact that it wanted at least two hours to Tobermory's dinner-time.

"Thanks," said Tobermory, "not quite so soon after my tea[9]. I don't want to die of indigestion."

---

1. L'automobile est encore une invention récente à l'époque et rares étaient les gens qui en possédaient.

2. Référence humoristique au mythe de Sisyphe. Dans la mythologie grecque, Sisyphe, fils d'Eole, avait refusé la mort et osé défier les Dieux. Il fut condamné à rouler éternellement une pierre jusqu'en haut d'une colline alors qu'elle redescendait chaque fois avant de parvenir au sommet. Homère évoque ce mythe dans l'Odyssée et Albert Camus a écrit un essai sur ce sujet.

3. **casual**: *détendu, décontracté, bon enfant.*

4. Devonshire est le nom autrefois donné au comté du Devon qui se trouve dans le Sud-Ouest de l'Angleterre entre les Cornouailles, à l'Ouets et le Dorset et le Somerset à l'Est. C'est une région touristique, célèbre pour ses plages et ses parcs nationaux. La côte nord donne sur le Canal de Bristol et la côte sud sur la Manche.

Lady Blemley répondit que votre manque d'esprit était justement la qualité qui vous avait valu d'être invitée, car vous étiez la seule personne qui était assez idiote pour acheter leur vieille guimbarde. Vous savez, celle qu'ils appellent "Rêve de Sisyphe' , parce qu'elle monte gentiment les côtes si on la pousse.

Les dénégations de Lady Blemley auraient eu un accent plus convaincant si elle n'avait pas négligemment laissé entendre à Mavis le matin même que la voiture en question était tout à fait ce qu'il lui fallait pour sa résidence du Devonshire.

Le major Barfield se lança pour tenter une diversion.

– Et vos amours avec la petite chatte tigrée du cocher ?

Dès qu'il eut prononcé ces paroles, tout le monde s'aperçut que c'était une bévue.

– Ce ne sont généralement pas des sujets que l'on aborde en public, dit Tobermory . Si je me fie à ce que j'ai pu voir de vous depuis que vous êtes là je crois que vous trouveriez tout à fait déplacé que j'amène la conversation sur vos propres petites affaires.

La panique qui s'ensuivit ne fut pas circonscrite au seul major.

– Voudrais-tu aller voir si la cuisinière a préparé ton dîner ? suggéra Lady Blemley précipitamment, en feignant d'ignorer que le dîner de Tobermory ne devait pas être servi avant au moins deux bonnes
heures.

– Je vous remercie, dit Tobermory, mais je ne tiens pas à dîner tout de suite après le goûter. Je ne veux pas mourir d'indigestion.

---

5. **to plunge in**: *plonger dans*.

6. **carryings-on** (toujours au pluriel) = **irresponsible, irritating, self-indulgent behaviour.**

7. **frigid**= **stiff, formal** (d'un air pincé)

8. **inconvenient**: *inopportun*.

9. On appelait **high tea** le repas de l'après-midi. **Tea** peut désigner le repas pris vers 18 h ou être simplement un goûter (**afternoon tea**).

"Cats have nine lives[1], you know," said Sir Wilfrid heartily[2].

"Possibly," answered Tobermory; "but only one liver."

"Adelaide!" said Mrs. Cornett, "do you mean to encourage that cat to go out and gossip about us in the servants' hall[3]?"

The panic had indeed become general. A narrow ornamental balustrade ran in front of most of the bedroom windows at the Towers[4], and it was recalled with dismay that this had formed a favourite promenade for Tobermory at all hours, whence he could watch the pigeons—and heaven knew what else besides[5]. If he intended to become reminiscent in his present outspoken[6] strain[7] the effect would be something more than disconcerting[8]. Mrs. Cornett, who spent much time at her toilet table, and whose complexion[9] was reputed to be of a nomadic though punctual disposition[10], looked as ill at ease as the Major. Miss Scrawen, who wrote fiercely[11] sensuous poetry and led a blameless life, merely displayed irritation; if you are methodical and virtuous in private you don't necessarily want everyone to know it. Bertie van Tahn, who was so depraved at 17 that he had long ago given up trying to be any worse, turned a dull[12] shade[13] of gardenia[14] white, but he did not commit the error of dashing out of the room like Odo Finsberry, a young gentleman who was understood to be reading[15] for the Church and who was possibly disturbed at the thought of scandals he might hear concerning other people.

---

1. C'est une superstition peut-être due au fait que les chats parviennent à survivre à des chutes qui tueraient les humains
2. **heartily**: *de bon cœur.*
3. **hall** = **meeting-place.**
4. **The Towers** est le nom du manoir de Lady Blemley.
5. **besides**: *de plus ; par ailleurs.*
6. **outspoken**: *franc, direct, honnête.*
7. **strain** = **tendency, trait.**
8. **disconcerting**: *déconcertant; déroutant; consternant.*

– Les chats ont, parait-il, neuf vies, dit Sir Wilfrid malicieusement.

– C'est possible, rétorqua Tobermory ; mais ils n'ont qu'un seul foie.

– Adelaïde ! s'écria Mme Cornett, avez-vous l'intention d'inciter ce chat à colporter des ragots sur nous chez les domestiques ?

La panique était maintenant générale. Une étroite balustrade courait devant la plupart des fenêtres des chambres à coucher de la demeure de Lady Blemley, et l'on se rappelait avec consternation que, Tobermory en avait fait sa promenade favorite, à toute heure du jour et de la nuit, afin d'y observer les pigeons et Dieu sait quoi encore. Si, dans son humeur féroce actuelle il lui venait l'idée d'évoquer ses souvenirs, les effets seraient désastreux. Mme Cornett, qui passait beaucoup de temps devant son miroir, et dont le visage était toujours expressif, paraissait aussi mal à l'aise que le Commandant. Mademoiselle Scrawen, qui écrivait des poèmes d'une sensualité débridée mais menait une existence irréprochable manifesta un certain agacement : si vous êtes discipliné et vertueux dans votre vie privée vous ne souhaitez pas nécessairement que tout le monde le sache. Bertie van Tahn, qui menait à dix-sept ans une vie si dissolue qu''il avait, depuis longtemps, renoncé à se corrompre davantage, devint d'une pâleur de gardénia, mais ne commit pas l'erreur de quitter la pièce précipitamment comme Odo Finsberry, un jeune homme censé entrer sous peu dans les ordres et qui s'était peut-être affolé à l'idée d'entendre des révélations sur les écarts de conduite de son prochain.

---

9. **complexion**: *teint* (de la peau)

10. **disposition**: *nature ; tendance ; disposition.*

11. **fiercely**: *farouchement.*

13. **dull**: *terne*

14. **shade**: *teinte.*

15. Les gardénias sont des arbustes qui donnent de petites fleurs blanches.

16. **read** a ici le sens de **study.**

Clovis had the presence of mind to maintain a composed exterior; privately[1] he was calculating how long it would take to procure a box of fancy[2] mice through the agency of the Exchange and Mart as a species of hush-money[3].

Even in a delicate situation like the present, Agnes Resker could not endure to remain long in the background.

"Why did I ever come down here?" she asked dramatically.

Tobermory immediately accepted the opening[4].

"Judging by what you said to Mrs. Cornett on the croquet-lawn yesterday, you were out of food. You described the Blemleys as the dullest[5] people to stay with that you knew, but said they were clever enough to employ a first-rate[6] cook; otherwise they'd find it difficult to get any one to come down a second time."

"There's not a word of truth in it! I appeal[7] to Mrs. Cornett—" exclaimed the discomfited Agnes.

"Mrs. Cornett repeated your remark afterwards to Bertie van Tahn," continued Tobermory, "and said, 'That woman is a regular Hunger Marcher[8]; she'd go anywhere for four square meals a day,' and Bertie van Tahn said—"

At this point the chronicle[9] mercifully[10] ceased. Tobermory had caught a glimpse[11] of the big yellow tom from the Rectory[12] working his way through the shrubbery[13] towards the stable wing. In a flash he had vanished through the open French window.

---

1. **privately** = not publicly expressed.
2. **fancy** = of superfine quality or exceptional appeal; made to please the taste.
3. **hush-money**: *pot-de-vin* (prix du silence).
4. **opening**: *ouverture*.
5. **dull**: *assommant ; sans intérêt*.
6. **first-rate**: *de première classe, extra*.
7. **to appeal to**: *recourir à*.

Clovis eut, quant à lui, la présence d'esprit de rester impassible tout en calculant intérieurement combien lui coûterait le silence de Tobermory s'il l' achetait au prix d'une boîte de souris de luxe susceptibles de lui flatter le palais.

Même dans une situation délicate comme celle-là, Agnes Resker ne pouvait guère supporter de ne pas être sur le devant de la scène.

– Mais qu'est-ce que je fais ici ? fit-elle sur un ton théâtral.

Tobermory saisit la perche qu'on lui tendait si malencontreusement.

– A en juger par ce que vous avez déclaré à Mme Cornett hier sur le terrain de croquet, vous êtes venue uniquement pour la nourriture. Vous avez dit que les Blemley étaient les gens les plus ennuyeux que vous connaissiez, mais qu'ils avaient eu l'intelligence d'engager un excellent cuisinier ; sinon ils auraient beaucoup de mal à faire revenir les gens chez eux.

– Il n'y a pas un mot de vrai là dedans ! N'est-ce pas Mme Cornett ?... s'exclama Agnès, déconfite.

– Mme Cornett a ensuite rapporté vos paroles à Bertie van Tahn, poursuivit Tobermory, en ajoutant "Cette femme est une vraie piqueassiette ; elle irait n'importe où pour se faire nourrir gratuitement." et Bertie van Tahn a dit :

Fort charitablement, Tobermory n'alla pas plus loin. Il venait d' apercevoir le matou du pasteur s'enfoncer dans le taillis afin de gagner les écuries. En un clin d'œil il avait disparu par la porte-fenêtre ouverte.

---

8. **hunger marcher** = **an unemployed person who participates in a hunger march.**
9. **a chronicle** = **a chronological record of events.**
10. **mercifully**: *charitablement.*
11. **to catch a glimpse of**: *entrevoir, apercevoir.*
12. **rectory**: *presbytère.*
13. **shrubbery**: *taillis ; fourré.*

With the disappearance of his too brilliant pupil Cornelius Appin found himself beset[1] by a hurricane[2] of bitter upbraiding[3], anxious inquiry, and frightened entreaty[4]. The responsibility for the situation lay with him, and he must prevent matters from becoming worse. Could Tobermory impart[5] his dangerous gift to other cats? was the first question he had to answer. It was possible, he replied, that he might have initiated his intimate friend the stable puss into his new accomplishment, but it was unlikely that his teaching could have taken a wider range as yet.

"Then," said Mrs. Cornett, "Tobermory may be a valuable cat and a great pet; but I'm sure you'll agree, Adelaide, that both he and the stable cat must be done away with without delay."

"You don't suppose I've enjoyed the last quarter of an hour, do you?" said Lady Blemley bitterly. "My husband and I are very fond of Tobermory—at least, we were before this horrible accomplishment was infused[6] into him; but now, of course, the only thing is to have him destroyed[7] as soon as possible."

"We can put some strychnine[8] in the scraps[9] he always gets at dinner-time," said Sir Wilfred, "and I will go and drown the stable cat myself. The coachman will be very sore at losing his pet, but I'll say a very catching form of mange has broken out in both cats and we're afraid of it spreading to the kennels."

"But my great discovery!" expostulated[10] Mr. Appin; "after all my years of research and experiment—"

---

1. **to beset**: *assaillir ; entourer ; harceler.*
2. **hurricane** : *ouragan, tempête.* :
3. **to upbraid**: *reprocher, critiquer.*
4. **entreaty** = **honest request; supplication**.
5. **to impart**: *communiquer, dévoiler, révéler.*
6. **to infuse** = **to teach and impress by frequent repetitions**.

Après le départ de son trop brillant élève Cornelius Appin dut essuyer un feu nourri de reproches amers, d'interrogations inquiètes et de suppliques angoissées. La responsabilité de la situation lui incombait et il devait tout faire pour l'empêcher de s'aggraver. Tobermory pouvait-il transmettre son redoutable talent à d'autres de ses congénères ? fut la première question qu'on lui posa. Il se pouvait fort bien, répondit-il, qu'il ait commencé l'instruction de sa petite amie, la chatte du cocher, mais il était peu probable que son enseignement en ait touché d'autres.

– Alors, dit Mme Cornett, Tobermory est peut-être un chat de grande valeur et un animal de compagnie formidable; mais je suis sûre, Adélaïde,que vous conviendrez qu'il faut s'en débarrasser sans plus tarder ainsi que de la chatte du cocher.

– Vous ne croyez tout de même pas que ce qui vient de se passer m'ait fait plaisir ? dit Lady Blemley avec tristesse. Mon mari et moi sommes très attachés à Tobermory – du moins, nous l'étions avant qu'il ait été contaminé par le virus de la parole ; mais à présent, bien sûr, la seule chose qui compte est qu'on le fasse disparaître dans les plus brefs délais.

– On peut mettre de la strychnine dans les restes qu'on lui donne à manger , dit Sir Wilfrid, et je me chargerai moi-même d'aller noyer la chatte du cocher. Celui-ci sera naturellement affligé d'avoir perdu son chat, mais je prétendrai qu' ils ont tous les deux attrapé une forme très contagieuse de la gale et que nous craignions que l'infection se répandît dans le chenil ."

– Mais qu'adviendra-t-il de ma découverte ? protesta M Appin ; après toutes ces années de recherches et d'expériences.

---

7. Remarquez la construction **to have sth done**: *faire faire qch* (à qqn)

8. La strychnine est un stimulant du système nerveux s'il est utilisé à très faibles doses. A fortes doses c'est un poison violent

9. **a scrap** = **a little piece**. Ici **scraps** est synonyme de **leftovers**.

10. **to expostulate** = **to reason sb in an effort to dissuade or correct**.

"You can go and experiment on the short-horns[1] at the farm, who are under proper control[2]," said Mrs. Cornett, "or the elephants at the Zoological Gardens. They're said to be highly intelligent, and they have this recommendation[3], that they don't come creeping about our bedrooms and under chairs, and so forth[4]."

An archangel[5] ecstatically proclaiming the Millennium[6], and then finding that it clashed[7] unpardonably with Henley[8] and would have to be indefinitely postponed, could hardly have felt more crestfallen[9] than Cornelius Appin at the reception of his wonderful achievement. Public opinion, however, was against him—in fact, had the general voice[10] been consulted on the subject it is probable that a strong minority vote would have been in favour of including him in the strychnine diet.

Defective train arrangements and a nervous[11] desire to see matters brought to a finish prevented an immediate dispersal of the party, but dinner that evening was not a social success. Sir Wilfred had had rather a trying[12] time with the stable cat and subsequently with the coachman. Agnes Resker ostentatiously limited her repast[13] to a morsel[14] of dry toast, which she bit as though it were a personal enemy; while Mavis Pellington maintained a vindictive silence throughout the meal. Lady Blemley kept up a flow of what she hoped was conversation, but her attention was fixed on the doorway.

---

1. La shorthorn est une race bovine britannique réputée pour la production de viande, originaire de la région de Durham dans le nord-est de l'Angleterre.Son nom vient de leurs cornes courtes orientées vers le bas.

2. **under control**: *sous contrôle.*

3. **recommendation**: *recommandation ; référence.*

4. **and so forth**: *et ainsi de suite.*

5. Les archanges sont une catégorie d'anges qui jouent leur rôle de messagers pour annoncer les grands événements. C'est par exemple l'archange Gabriel qui annonce la naissance de Jésus à la vierge Marie.

6. Le millennium est un terme utilisé pour désigner le règne de mille ans de Jésus Christ sur terre.Ce millennium est décrit dans la bible. Il existe plusieurs théories concernant l'interprétation de

- Allez faire vos expériences sur les vaches de la ferme, qui ne se promènent pas chez les gens, dit Mme Cornett, ou sur les éléphants du jardin zoologique. On dit qu'ils sont très intelligents, et ils ont surtout le mérite de ne pas faufiler dans les chambres et sous les fauteuils.

Un archange s'apprêtant à souffler avec extase dans la trompette du Jugement dernier, et se voyant rappelé à l'ordre par le Seigneur, au dernier moment, n'eût guère été plus dépité que Cornélius Appin devant l'accueil que l'on réservait à sa découverte. L'opinion publique, néanmoins, lui était défavorable. Eût-elle été consultée à ce sujet, il est probable qu'une forte minorité aurait voté pour qu'on lui administre de la strychnine, à lui aussi.

Des horaires de trains imprécis et une aspiration inquiète à voir la question résolue une fois pour toutes, empêchèrent la dispersion immédiate de l'assemblée, ce qui n'empêcha pas le dîner du soir d'être un parfait fiasco. Sir Wilfrid vécut des moments assez pénibles, d'abord avec le chat du cocher puis avec le cocher lui-même. Agnes Resker se contenta ostensiblement pour tout repas d'un petit bout de pain sec, qu'elle déchiqueta comme elle eût fait de son pire ennemi ; tandis que Mavis Pellington manifesta sa rancœur en gardant un silence pendant tout le dîner. Quant à Lady Blemley elle fit de son mieux pour animer un semblant de conversation tout en ne quittant pas la porte des yeux.

---

cette notion. Ces théories sont regroupées sous le terme millénarisme.

7. **to clash with**: *entrer en conflit avec ; jurer avec.*

8. William Henley (1849-1903), poète et éditeur, est surtout connu pour avoir été l'un des chantres de l'impérialisme britannique. L'humour de l'auteur est d'évoquer la contradiction entre les mille ans de paix annoncés par les millénaristes et l'apologie des conquêtes coloniales faite par Henley.

9. **crestfallen**: *déconfit.*

10. **voice** a ici le sens de "**an expressed opinion**"

11. **nervous** = **acutely uneasy or apprehensive.**

12. **trying** = **extremely annoying or difficult.**

13. **repast** est un terme plus recherché que **meal.**

14. **a morsel** = **a small piece of food.**

A plateful of carefully dosed[1] fish scraps was in readiness on the sideboard, but the sweets and savoury[2] and dessert went their way, and no Tobermory appeared in the dining-room or kitchen.

The sepulchral[3] dinner was cheerful compared with the subsequent vigil[4] in the smoking-room. Eating and drinking had at least supplied a distraction and cloak[5] to the prevailing[6] embarrassment. Bridge was out of the question in the general tension of nerves and tempers, and after Odo Finsberry had given a lugubrious rendering of 'Melisande in the Wood'[7] to a frigid audience, music was tacitly avoided. At eleven the servants went to bed, announcing that the small window in the pantry had been left open as usual for Tobermory's private use. The guests read steadily through the current batch of magazines, and fell back gradually on the "Badminton Library"[8] and bound volumes of Punch[9]. Lady Blemley made periodic visits to the pantry, returning each time with an expression of listless[10] depression which forestalled[11] questioning.

At two o'clock Clovis broke the dominating silence.

"He won't turn up tonight. He's probably in the local newspaper office at the present moment, dictating the first instalment[12] of his reminiscences. Lady What's-her-name[13]'s book won't be in it. It will be the event of the day[14]."

Having made this contribution to the general cheerfulness, Clovis went to bed. At long intervals the various members of the house-party followed his example.

---

1. to dose = to add a drug to.

2. savoury = an aromatic or spicy dish served at the end of dinner.

3. sepulchral = dismal.

4. a vigil = a watch maintained at night.

5. cloak = something that covers or conceals; pretense.

6. prevailing: *dominant, prédominant.*

7. C'est une chanson d'Ethel Clifford et Alma Goetz écrite au début du vingtième siècle et fort en vogue à l'époque.

8. La 'Badminton Library' est une série de trente volumes éditée par le Duc de Beaufort au début du XXe siècle. Entièrement consacrée aux sports et aux loisirs on y trouve des textes sur la chasse, la pêche, la danse, le golf etc.

Une assiette de restes de poisson soigneusement empoisonnés attendaient sur la desserte, mais l'entremets, le dessert et les digestifs furent servis, sans que Tobermory eût daigné montrer le bout du museau dans la salle à manger ou dans la cuisine.

Ce triste dîner fut charmant comparé à la veillée qui suivit dans le fumoir. La nourriture et les boissons avaient, au moins, fourni une diversion aux uns et aux autres et servi de paravent à l'embarras général. Il n'était pas question de jouer au bridge, la tension étant palpable et les nerfs de tous, à fleur de peau. Et après l' interprétation lugubre de Mélisande dans le Bois par Odo Finsberry devant un auditoire glacial, on décida, d'un accord tacite, de ne pas renouveler l'expérience. À onze heures les domestiques allèrent se coucher après avoir annoncé qu'on avait, comme à l'accoutumée, laissé la fenêtre de l'office entrouverte pour Tobermory. Les invités parcoururent les magazines à leur disposition et ,après avoir lu toute la pile se rabattirent petit à petit sur la 'Badminton Library' et les volumes reliés de Punch. Lady Blemley se rendit régulièrement à l'office et revint à chaque fois avec un air suffisamment abattu et désabusé pour que l'on n'ose rien lui demander.

A deux heures, Clovis brisa le silence régnant.

– Il ne viendra pas ce soir. A l'heure qu'il est, il est probablement dans les bureaux du journal local ,en train de dicter à quelque pigiste le premier chapitre de ses mémoires. Cela va être l'événement du jour. Ayant ainsi contribué à l'allégresse générale, Clovis monta se coucher. Tous, peu à peu, suivirent son exemple.

---

9. Punch est un hebdomadaire satirique britannique fondé en 1841 et qui parut sans interruption pendant cent cinquante ans. En 1996 l'homme d'affaires égyptien Mohamed Al-Fayed tenta de le faire revivre mais l'expérience ne dura que six ans.

10. **listless** = **having no energy**.

11. **to forestall**: *désamorcer; prévenir ; empêcher*.

12. **instalment:** *épisode*.

13. **What's-her-name** (ou **What's-his-name**) : fait référence à une personne dont on ne connait pas, dont on ne se rappelle pas ou dont on ne veut pas dire le nom.

14. *Le fait du jour*.

The servants taking round[1] the early tea made a uniform announcement in reply to a uniform[2] question. Tobermory had not returned.

Breakfast was, if anything[3], a more unpleasant function than dinner had been, but before its conclusion the situation was relieved[4]. Tobermory's corpse was brought in from the shrubbery, where a gardener had just discovered it. From the bites on his throat and the yellow fur which coated[5] his claws it was evident that he had fallen in unequal combat[6] with the big Tom from the Rectory.

By midday most of the guests had quitted[7] the Towers, and after lunch Lady Blemley had sufficiently recovered her spirits to write an extremely nasty[8] letter to the Rectory about the loss of her valuable pet.

Tobermory had been Appin's one[9] successful pupil, and he was destined to have no successor. A few weeks later an elephant in the Dresden Zoological Garden, which had shown no previous signs of irritability, broke loose[10] and killed an Englishman who had apparently been teasing[11] it. The victim's name was variously reported in the papers as Oppin and Eppelin, but his front name[12] was faithfully rendered Cornelius.

"If he was trying German irregular verbs on the poor beast[13]," said Clovis, "he deserved all he got."

---

1. **round** indique qu'ils servent le thé à tout le monde.

2. **uniform = identical**.

3. **if anything = on the contrary even; perhaps even**.

4. **to relieve = to make less unpleasant**.

5. **to coat**: *couvrir ; recouvrir ; enduire*.

6. Comme tous les mots d'origine latine **combat** est d'un style plus recherché que **fight**. L'expression "**fallen in unequal combat**" est volontairement grandiloquente.

7. **quit** peut au prétérit être aussi othographié **quit**.

Les domestiques venus apporter dans les chambres le thé du matin répondirent uniformément à la question uniformément posée.

Tobermory n'était pas rentré.

Le petit déjeuner fut, peut-être, encore plus pénible que le dîner, mais la situation se dénoua avant qu'il ne fut fini. On apporta le cadavre de Tobermory, qu'un jardinier venait de découvrir derrière une haie. D'après les traces de morsures qu'il portait à la gorge et les poils roux pris dans ses griffes on déduisit sans peine qu'il avait succombé au cours d'une lutte inégale avec le gros matou du pasteur.

Vers midi la plupart des invités avaient quitté le château, et après déjeuner Lady Blemley avait suffisamment retrouvé ses esprits pour rédiger une lettre virulente à l'intention du pasteur ,concernant la perte du chat qui lui était si cher.

Tobermory avait été le seul élève avec qui Appin avait réussi et il était destiné à n'avoir aucun successeur. Quelques semaines plus tard, un éléphant du jardin zoologique de Dresde, qui n'avait jusqu'à présent montré aucun signe d'énervement, s'échappa et tua un Anglais qui l'avait, semble-t-il, agacé. Le nom de la victime était, selon les journaux orthographié Oppin ou Eppelin, mais le prénom était invariablement Cornélius.

– Il essayait d'apprendre les verbes irréguliers allemands au malheureux animal, dit Clovis, il n'a eu que ce qu'il méritait.

---

8. **nasty**: *désobligeant; désagréable.*
9. **one** indique qu'il était unique.
10. **to break loose**= **to free oneself; to escape.**
11. **to tease**: *taquiner.*
12. **front name** = **first name.** En anglais on ne met jamais le prénom après le nom de famille.
13. **beast** = **any nonhuman animal,especially a large four-footed mammal.**

D.H. LAWRENCE
(1885-1930)

Mort à 44 ans en 1930, **D.H. Lawrence** laissa derrière lui une œuvre considérable : théâtre, essais, récits de voyages, critiques littéraires, traductions et surtout nouvelles et romans, dont les plus connus sont : *The White Peacock* (1911), *Sons and Lovers* (1913), *The Rainbow* (1915), *Women in Love* (1920), *The Plumed Serpent* (1926) et *Lady Chatterley's Lover* (1928). **E. M. Forster** dit que celui qui disparaissait alors était *"The greatest imaginative novelist of our generation"*.

Il faut dire que beaucoup reléguaient **Lawrence** au rang d'auteur à scandale. Preuve en est qu' il fallut plus de trente ans pour que *Lady Chatterley's Lover* soit publié officiellement en Grande Bretagne. Aujourd'hui il est considéré comme un visionnaire et l'un des écrivains anglais majeurs du vingtième siècle, résolument moderne par son écriture et la vitalité qui se dégage de ses œuvres. Influencé par Freud et la psychanalyse, il exprime, au delà des émotions et des sentiments le langage de l'inconscient. Il le fait, contrairement à Joyce, sans recourir à la technique du *'stream of consciousness'* et en étant très réaliste dans les situations et les décors qu'il décrit. Par ses origines, il connaissait parfaitement la classe ouvrière anglaise et le parler de la région de Nottingham. Son père était un mineur, alcoolique et presque illéttré, un instinctif, proche de la nature alors que sa mère, plus intellectuelle et raffinée, avait des aspirations bourgeoises. Les relations conflictuelles entre ses parents inspirèrent son roman *Sons and Lovers*, qui est donc largement autobiographique. Si **Lawrence** a hérité de sa mère le goût pour les choses de l'esprit, c'est de son père qu'il tient son intérêt pour les mystères de la nature et sa grande force vitale, d'où sa fascination pour le sacré primitif.

La nouvelle que nous avons choisie est toute empreinte de ces contradictions entre le conformisme social (rôle de l'institution du mariage) qui règle les relations sociales entre les personnages et le désir – la libido, l'instinct de vie – qui s'exprime de façon indirecte (réactions physiques et rapport à la nature et aux animaux). La taupe est le symbole de cette sexualité qu'on voudrait attraper et mettre dans un mouchoir pour la cacher et la maîtriser. Pour exprimer son instinct de vie et manifester son désir à Tom, Frances doit d'abord tuer une taupe : elle ne doit pas hésiter à donner la mort pour faire triompher la vie. Même si c'est par convention sociale, Frances va vers celui qui, comme sa sœur Anne, est le plus proche de la nature et du règne animal.

Lawrence parvient, en quelques pages d'une histoire apparemment rustique, à nous faire partager ce mystère, dans un texte où affleure une grande sensualité.

D.H. LAWRENCE
(1885-1930)

LE DEUXIÈME CHOIX

(Publié dans
THE PRUSSIAN OFFICER AND OTHER STORIES)
(1914)

"Oh, I'm tired!" Frances exclaimed petulantly, and in the same instant she dropped down on the turf, near the hedge-bottom. Anne stood a moment surprised, then, accustomed to the vagaries of her beloved Frances, said:

"Well, and aren't you always likely to be tired, after travelling that blessed long way from Liverpool yesterday?" and she plumped down beside her sister. Anne was a wise young body of fourteen, very buxom, brimming with common sense. Frances was much older, about twenty-three, and whimsical, spasmodic. She was the beauty and the clever child of the family. She plucked the goose-grass buttons from her dress in a nervous, desperate fashion. Her beautiful profile, looped above with black hair, warm with the dusky-and-scarlet complexion of a pear, was calm as a mask, her thin brown hand plucked nervously.

"It's not the journey," she said, objecting to Anne's obtuseness. Anne looked inquiringly at her darling. The young girl, in her self-confident, practical way, proceeded to reckon up this whimsical creature. But suddenly she found herself full in the eyes of Frances; felt two dark, hectic eyes flaring challenge at her, and she shrank away. Frances was peculiar for these great, exposed looks, which disconcerted people by their violence and their suddenness.

"What's a matter, poor old duck?" asked Anne, as she folded the slight, wilful form of her sister in her arms.

---

1. **to exclaim** = to cry out as in surprise, strong emotion or protest.

2. **petulant** ['petjulənt] = unreasonably irritable or ill-tempered.

3. **turf** = layer of earth formed by grass and plant roots.

4. **hedge-bottom**: *pied de la haie.*

5. **buxom** = a) full-bosomed b) healthy, plump and ample of figure.

6. **to brim**: *déborder.*

7. **whimsical**: *capricieux, imprévisible.*

8. **spasmodic** = given to bursts of excitement.

– Oh, comme je suis fatiguée ! s' écria Frances d'un ton irrité. Et à ces mots elle s' afffala dans l'herbe, près de la haie. Anne la regarda, un instant stupéfaite, mais, habituée aux caprices de sa chère Frances, elle lui dit simplement :

– Pas étonnant que tu sois fatiguée après le long trajet que tu as fait hier depuis Liverpool !

A son tour elle se laissa choir à côté de sa sœur. Anne était une sage jouvencelle de quatorze ans, bien découplée et pleine de bon sens. Frances était bien plus agée, environ vingt-trois ans, et elle était d'un tempérament fantasque et fougueux. C'était elle la plus belle et la plus intelligente de la famille. Avec fébrilité et dégoût, elle arrachait les boules de gratteron qui s'étaient collés à sa robe. Rehaussé par sa chevelure noire, son joli visage, d'une carnation qui était d'un vermeil sombre comme la peau d'une poire mûre, gardait l'impassibilité d'un masque tandis que s'agitaient ses brunes mains fuselées.

Elle réagit à la candeur d'Anne en déclarant :

– Rien à voir avec le trajet.

Anne lança à sa sœur chérie un regard interrogateur. Réaliste et sûre d'elle, elle avait entrepris de déchiffrer cette sœur fantasque. Mais soudain elle sentit que c'était elle que Frances examinait. Un regard sombre et enflammé semblait la défier, et elle renonça. Frances avait cette manière singulière d'imposer son regard avec une insistance une violence et une brutalité qui mettaient les gens mal à l'aise.

– Qu'est-ce qui ne va pas, ma poule ? demanda Anne ? en étreignant sa petite sœur têtue dans ses bras.

---

9. **goosegrass** = **wiregrass**: nom donné à l'éleusine indienne, communé appelée chiendent patte de poule. C'est une mauvaise herbe de 10 à 50 cm de haut qui perd ses poils.

10. **desperate** = **giving all**

11. **looped up** = **encircled with a loop.**

12. **warm** = **suggestive of warmth, inclining toward red or orange.**

13. **dusky** = of a dark colour.

14. **obtuse** = **not quick in perception or intellect; not observant.**

15. **slight** = **of little influence; of little strength.**

16. **wilful** : *qui n'en fait qu'à sa tête.*

Frances laughed shakily, and nestled[1] down for comfort on the budding breasts[2] of the strong girl.

"Oh, I'm only a bit tired," she murmured, on the point of tears.

"Well, of course you are, what do you expect?" soothed[3] Anne. It was a joke to Frances that Anne should play elder, almost mother to her. But then, Anne was in her unvexed[4] teens; men were like big dogs to her: while Frances, at twenty-three, suffered a good deal.

The country was intensely morning-still. On the common everything shone beside its shadow, and the hillside gave off heat in silence. The brown turf seemed in a low state of combustion, the leaves of the oaks were scorched[5] brown. Among the blackish foliage in the distance shone the small red and orange of the village.

The willows in the brook-course at the foot of the common suddenly shook with a dazzling[6] effect like diamonds. It was a puff of wind[7]. Anne resumed her normal position. She spread her knees, and put in her lap a handful of hazel nuts, whity-green leafy things, whose one cheek was tanned between brown and pink. These she began to crack[8] and eat. Frances, with bowed head, mused[9] bitterly[10].

"Eh, you know Tom Smedley?" began the young girl, as she pulled a tight kernel[11] out of its shell.

"I suppose so," replied Frances sarcastically.

---

1. **to nestle (down)** = to lie close and snug, like a bird in a nest.
2. **budding breasts**: *seins naissants*.
3. **to soothe**: *apaiser*.
4. **to vex** = to torment, trouble, worry.
5. **to scorch (down)**: *griller*.
6. **to dazzle** = to shine brilliantly.

Frances était secouée d'un rire nerveux mais se blottit pour se consoler sur la poitrine nouvellement éclose de cette fille solide.

– Ce n'est rien, seulement un peu de fatigue, murmura-t-elle, au bord des larmes.

– Pour sûr, c'est normal...

La voix d'Anne se faisait maternelle et Frances trouvait cocasse ce renversement des rôles. Mais Anne était à peine sortie de l'enfance. Elle voyait les hommes comme des espèces de gros chiens alors qu'à vingt-trois ans, Frances, elle, avait déjà beaucoup souffert.

La campagne était encore plongée dans la torpeur matinale. Dans les prés, chaque brin d'herbe brillait immobile à côté de son ombre et le flanc de la colline silencieuse réfléchissait la chaleur. L'herbe mordorée semblait se consumer lentement et les feuilles des chênes avaient roussi. Au lointain, à travers des feuillages noirâtres, de brillantes petites taches orange et rouge signalaient le village.

Tout à coup, vers le bas des prés, les saules qui bordaient le ruisseau s'agitèrent comme une rivière de diamants. Un coup de vent était passé. Anne se redressa. Elle écarta les jambes et et déposa sur sa jupe une poignée de noisettes, toutes pelucheuses encore, avec leur feuillage vert pâle, mais offrant un côté bruni, dans les tons rosâtres. Elle se mit à les ouvrir et à les manger. Pendant ce temps, Frances, tête baissée, était plongée dans quelque douloureuse méditation.

Sa jeune sœur, tout en extirpant une noisette de sa coque, demanda :

– Au fait, tu connais Tom Smedley ?

– Il me semble ! fit Frances d'un ton ironique.

---

7. **a puff of wind**: *un coup de vent.*
8. **to crack = to break with a sudden, sharp sound.**
9. **to muse = to think or meditate in silence.**
10. **bitter = painful.**
11. **kernel = the softer, usually edible part contained in the shell of a nut .**

"Well, he gave me a wild rabbit what he'd caught, to keep with my tame[1] one—and it's living."

"That's a good thing," said Frances, very detached and ironic.

"Well, it *is*! He reckoned[2] he'd take me to Ollerton[3] Feast, but he never did. Look here, he took a servant from the rectory; I saw him."

"So he ought[4]," said Frances.

"No, he oughtn't! and I told him so. And I told him I should tell you—an' I have done."

Click and snap[5] went a nut between her teeth. She sorted out[6] the kernel, and chewed complacently[7].

"It doesn't make much difference," said Frances.

"Well, 'appen it doesn't; but I was mad with him all the same."

"Why?"

"Because I was; he's no right to go with a servant."

"He's a perfect right," persisted Frances, very just[8] and cold[9].

"No, he hasn't, when he'd said he'd take me."

Frances burst into a laugh of amusement and relief.

"Oh, no; I'd forgot that," she said, adding, "And what did he say when you promised to tell me?"

"He laughed and said, 'he won't fret her fat over that.'"

"And she won't," sniffed Frances.

There was silence. The common, with its sere[11], blonde-headed thistles, its heaps of silent bramble[12], its brown-husked gorse in the glare of sunshine, seemed visionary[13].

---

1. **tame**: *domestiqué*.

2. **to reckon** = **to count**.

3. Ollerton est une petite ville située à une trentaine de kilomètres au nord de Notingham.

4. **ought to** est un modal qui exprime ici quelque chose d'attendu par le locuteur.

5. **crack**, **click** et **snap** sont trois verbes qui indiquent un bruit sec et soudain. (*claquer, craquer*)

6. **to sort out** = **to separate from others**.

– Eh bien, il m'a donné un lapin de garenne qu'il avait attrapé, pour mettre avec mon lapin domestique; et il va bien.

– Tant mieux, fit Frances, toujours narquoise.

– En effet ! Il comptait m'emmener à la fête à Ollerton, mais il ne l'a pas fait... Et tiens-toi bien ! C'est une bonne du presbytère qu'il a emmenée. Je l'ai vu !

– Il a bien fait.

– Pas du tout ! Et je lui ai dit. Et je lui ai dit aussi que je te le dirais, voilà !

Crac ! Elle avait écrasé une noisette avec les dents. Elle en retira l'amande et la mâchonna d'un air satisfait.

– Qu'est-ce-que ça peut bien faire ? continua Frances.

– Eh ben, justement ! N'empêche que j'étais furieuse contre lui.

– Et pourquoi ?

– Par ce que c'est comme ça. Il n'a pas le droit de sortir avec une domestique.

– Mais c'est son droit le plus absolu, reprit Frances, d'un ton grave et détaché.

– Non, pas quand il avait dit que c'était moi qu'il emmènerait.

Frances, soulagée et amusée, éclata de rire.

– Non bien sûr, je n'y pensais plus ! Et qu'a-t-il dit quand tu lui as promis que tu me le dirais ?

– Il a rigolé et il a dit, "Ça lui fera ni chaud ni froid."

– C'est certain ! ajouta Frances avec un petit haut-le-corps.

La conversation s'arrêta là. Avec leurs chardons flétris aux têtes blondes, leurs masses de ronciers silencieux et leurs ajoncs aux cosses brunes étalés au soleil, les prés avaient un aspect irréel.

---

7. **complacent** = **untroubled.**
8. **just** = **guided by reason and fairness.**
9. **cold** = **dispassionate.**
10. **to sniff** = **to show disdain by sniffing.**
11. **sere** = **dry, withered**
12. **bramble** = (British) **the common blackberry.**
13. **visionary** = **unreal; imaginary**.

Across the brook began the immense pattern[1] of agriculture, white chequering[2] of barley stubble[3], brown squares of wheat, khaki patches of pasture, red stripes[4] of fallow, with the woodland[5] and the tiny village dark like ornaments, leading away to the distance, right to the hills, where the check-pattern grew smaller and smaller, till, in the blackish[6] haze of heat, far off, only the tiny white squares of barley stubble showed distinct.

"Eh, I say[7], here's a rabbit hole!" cried Anne suddenly. "Should we watch if one comes out? You won't have to fidget, you know."

The two girls sat perfectly still. Frances watched certain objects in her surroundings: they had a peculiar, unfriendly look about them: the weight of greenish elderberries[8] on their purpling stalks[9]; the twinkling of the yellowing[10] crab-apples[11] that clustered[12] high up in the hedge, against the sky: the exhausted, limp leaves of the primroses lying flat in the hedge-bottom: all looked strange to her. Then her eyes caught a movement. A mole was moving silently over the warm, red soil, nosing, shuffling[13] hither and thither, flat, and dark as a shadow, shifting about, and as suddenly brisk, and as silent, like a very ghost of *joie de vivre*[14]. Frances started, from habit was about to call on Anne to kill the little pest[15]. But, today, her lethargy of unhappiness was too much for her. She watched the little brute paddling, snuffing, touching things to discover them, running in blindness, delighted to ecstasy by the sunlight and the hot, strange things that caressed its belly and its nose.

---

1. a pattern = a design, an arrangement of form.

2. = checkering. → to checker = to diversify in color or shading.

3. stubbles = the stumps of grain and other stalks left in the ground when the crop is cut.

4. stripes : *rayures*.

5. woodland = land covered with trees.

6. Le suffixe "-ish" est ajouté aux adjectifs et indique l'approximation. → blackish = somewhat black.

7. I say est une expression familière utilisée pour attirer l'attention de l'interlocuteur.

De l'autre côté du ruisseau s'étendaient les champs cultivés, mosaïque colorée où la blancheur des carrés d'orge moissonnée voisinait avec l'or des rectangles de blé, le vert des pâturages et le rouge des parcelles en jachère ; plus loin les bois et le minuscule village ressemblaient à des éléments de décor : le regard se perdait en direction des collines où les pièces de ce damier s'estompaient jusqu'à se fondre dans une brume de chaleur obscure dans laquelle on ne distinguait plus que les minuscules carrés blancs des chaumes.

Tout à coup Anne s'écria :

– Oh ! dis-donc ! Un terrier ! Et si on attendait pour voir si un lapin en sort ? Mais il faut que tu arrêtes de t'agiter.

Sagement assises, les deux sœurs prirent soin de ne pas bouger. Frances observait certaines choses qui l'entouraient. Elles lui semblaient singulières et hostiles. Les baies de sureau, pesantes, verdâtres, au bout de leurs tiges pourprées et au sommet de la haie les pommes sauvages qui formaient des guirlandes jaunes et brillaient sur le ciel bleu, et, aplaties au pied de celle-ci, les feuilles des primevères, flétries et desséchées.Tout cela lui paraissait étrange. son regard saisit quelque chose qui bougeait. C'était une taupe qui avançait, sans bruit, sur la terre chaude et argileuse. Elle allait et venait, plate et noire comme une ombre, se déplaçant sans cesse, toujours en silence et subitement avec fébrilité, comme si elle était le spectre de la joie de vivre. Frances tressaillit, mue par le reflexe immédiat de demander à Anne de tuer cet animal nuisible. Mais ce jour-là la tristesse la paralysa. Frances observa la petite bête aveugle qui se dirigeait en reniflant le sol et s'abandonnait avec ivresse aux rayons du soleil et aux caresses que recevaient son ventre et son museau et elle se sentit envahie d'une profonde compassion.

---

8. Les sureaux sont des arbustes à fleurs qui se transforment en petits bouquets de baies qui sont très appréciées des oiseaux.

9. **stalk**: *tige*.

10. **yellowing** = **becoming yellow**.

11. On appelle **crab-apple** de petites pommes sauvages acides que l'on utilise principalement pour faire de la gelée ou des conserves.

12. **a cluster** : *une grappe*.

13. **to shuffle** : *marcher en traînant les pieds*.

14. **joie de vivre** = **keen enjoyment of living**.

15. **pest** = **small animal that destroys garden plants**.

She felt a keen pity for the little creature.

"Eh, our Fran, look there! It's a mole."

Anne was on her feet, standing watching the dark, unconscious[1] beast. Frances frowned[2] with anxiety.

"It doesn't run off, does it?" said the young girl softly. Then she stealthily approached the creature. The mole paddled[3] fumblingly away. In an instant Anne put her foot upon it, not too heavily. Frances could see the struggling, swimming movement of the little pink hands of the brute, the twisting and twitching[4] of its pointed nose, as it wrestled[5] under the sole of the boot.

"It *does* wriggle[6]!" said the bonny[7] girl, knitting her brows in a frown at the eerie[8] sensation. Then she bent down to look at her trap. Frances could now see, beyond the edge of the boot-sole, the heaving[9] of the velvet shoulders, the pitiful turning of the sightless face, the frantic rowing of the flat, pink hands.

"Kill the thing," she said, turning away her face.

"Oh—I'm not," laughed Anne, shrinking. "You can, if you like."

"I *don't* like," said Frances, with quiet intensity.

After several dabbling[10] attempts, Anne succeeded in picking up the little animal by the scruff of its neck. It threw back its head, flung its long blind snout[11] from side to side, the mouth open in a peculiar oblong[12], with tiny pinkish teeth at the edge. The blind, frantic mouth gaped[13] and writhed. The body, heavy and clumsy, hung scarcely[14] moving.

---

1. unconscious = without awareness; not endowed with mental faculties.

2. to frown: *froncer les sourcils*.

3. to paddle (*ramer, barboter*) indique qu'elle agite les pattes.

4. to twitch = to move spasmodically.

5. to wrestle: *lutter*.

6. to wriggle = to writhe = to squirm = to twist and turn.

7. bonny = pretty, with a healthy glow.

8. eerie: *étrange, inquiétant, mystérieux*.

– Regarde, s'écria sa sœur, regarde, Fran, une taupe !

Anne s'était levée et elle observait cette bestiole grise. L'appréhension se lisait sur le visage de Frances.

– Elle n'a pas l'air de se sauver, hein ? murmura sa jeune sœur. Et elle s'approcha furtivement de l'animal. La taupe allait disparaitre en se tortillant dans la terre, mais Anne posa vivement le pied dessus, en prenant garde de ne pas l'écraser. Frances observait les petites pattes roses qui s'agitaient comme si elle barbotait dans l'eau tandis que son petit museau pointu frémissait et frissonnait, pour échapper à la semelle qui la clouait au sol.

– Qu'est-ce qu'elle se tortille ! s'exclama la mignonne. Et cette étrange sensation lui fit plisser le front. Elle se baissa pour regarder ce qui se passait sous son pied. Frances pouvait maintenant distinguer sous le bord de de la semelle les palpitations des membres antérieurs sous le pelage luisant, les mouvements pathétiques de la petite tête aveugle et le battement desespéré des pattes aplaties.

– Tue-la donc ! fit-elle, en détournant le visage.

– Ah ! pas moi, s'écria Anne en riant mais avec un mouvement de recul. Mais fais-le si tu veux.

– Sûrement pas, fit Frances d'un ton calme mais ferme.

Après quelques timides essais, Anne réussit à saisir la petite bête par la peau du cou. Elle redressa la tête, jeta son grand museau de droite à gauche, et sa longue bouche ouverte se tordait et découvrait une rangée de minuscules dents roses. Elle se débattait frénétiquement, mais le reste de son corps, trop gauche et trop lourd, pendait, presque complètement inerte.

---

9. **to heave = to raise or lift with effort. cf: to heave a sigh**: *pousser un soupir.*

10. **to dab = to employ oneself in a dilletante way.**

11. **the snout = the muzzle**: *le museau.*

12. **an oblong**: *une forme allongée.*

13. **to gape**: *ouvrir la bouche involontairement.*

14. **scarcely = hardly.**

"Isn't it a snappy[1] little thing," observed Anne twisting to avoid the teeth.

"What are you going to do with it?" asked Frances sharply.

"It's got to be killed—look at the damage they do. I s'll[2] take it home and let dadda[3] or somebody kill it. I'm not going to let it go."

She swaddled[4] the creature clumsily in her pocket-handkerchief and sat down beside her sister. There was an interval of silence, during which Anne combated[5] the efforts of the mole.

"You've not had much to say about Jimmy this time. Did you see him often in Liverpool?" Anne asked suddenly.

"Once or twice," replied Frances, giving no sign of how the question troubled her.

"And aren't you sweet[6] on him any more, then?"

"I should think I'm not, seeing that he's engaged."

"Engaged? Jimmy Barrass! Well, of all things! I never thought *he'd* get engaged."

"Why not, he's as much right as anybody else?" snapped Frances.

Anne was fumbling[7] with the mole.

"'Appen so[8]," she said at length; "but I never thought Jimmy would, though."

"Why not?" snapped Frances.

"I don't know—this blessed[9] mole, it'll not keep still!—who's he got engaged to?"

"How should I know?"

"I thought you'd ask him[10]; you've known him long enough.

---

1. **snappy** = **snappish**: *prêt à mordre*. cf. : **to snap (at sth/ sb)** = **to make a sudden bite**.

2. **I s'll** = **I shall**.

3. **dadda** = **daddy**.

4. **to swaddle**: *emmailloter*.

5. **to combat** = **to fight; to oppose vigorously**.

6. **sweet on** (informal) = **infatuated with; in love with**.

7. **to fumble** = **to feel or grope clumsily**.

– Regarde un peu comme elle est hargneuse, fit Anne, en tournant le poignet pour ne pas être mordue.

– Qu'est-ce que tu vas en faire, dit Frances d'un ton sec.

– Il faut la tuer. Regarde tous les dégâts qu'elles font. J'vais la ramener à la maison pour que papa ou un autre la tue. J'vais pas la laisser filer.

Elle l'enveloppa maladroitement dans son mouchoir de poche et s'assit auprès de sa sœur. Silencieusement, pendant un certain temps, Anne s'efforça d'immobiliser la taupe.

– Tu ne m'as pas beaucoup parlé de Jimmy, aujourd'hui. Vous vous êtes beaucoup vus à Liverpool ?

– Une fois ou deux, répondit Frances, sans laisser paraître la moindre émotion.

– Et alors, tu n'as plus le béguin pour lui ?

– Tu parles... maintenant qu'il est fiancé.

– Fiancé ? Jimmy Barrass ! Ben ça alors ! J'aurais jamais cru ça de lui.

– Pourquoi donc ? Il a le droit de se fiancer, comme tout le monde, non ?

Anne était encore occupée avec sa taupe. Elle finit par reprendre le sujet.

– Dommage, mais j'aurais jamais cru ça de Jimmy.

– Et pourquoi pas ? reprit Frances brutalement.

– Je ne sais pas – ... fichue taupe, elle veut pas se tenir tranquille ! – et avec qui s' est-il fiancé ?

– Qu'est-ce que j'en sais...

– Je croyais que tu lui avais demandé. Il y a assez long-temps que tu le connais.

---

8. = **happen-so**: **happen** est un régionalisme utilisé dans les Midlands, le Lancashire et le Yorkshire. Il signifie "**perhaps**", "**maybe**".

9. **blessed** ['blesıd] (**informal**)= **damned**.

10. La correction grammaticale voudrait que l'on utilise ici un conditionnel passé " **you would have asked him**".

I s'd think he thought he'd get engaged now he's a Doctor of Chemistry."

Frances laughed in spite of herself[1].

"What's that got to do with it?" she asked.

"I'm sure it's got a lot. He'll want to feel SOMEBODY now, so he's got engaged. Hey, stop it; go in!"

But at this juncture[2] the mole almost succeeded in wriggling[3] clear. It wrestled[4] and twisted frantically, waved[5] its pointed blind head, its mouth standing open like a little shaft[6], its big, wrinkled hands spread out.

"Go in with you!" urged Anne, poking[7] the little creature with her forefinger[8], trying to get it back into the handkerchief. Suddenly the mouth turned like a spark[9] on her finger.

"Oh!" she cried, "he's bit me."

She dropped him to the floor. Dazed, the blind creature fumbled round. Frances felt like shrieking. She expected him to dart away in a flash, like a mouse, and there he remained groping[10]; she wanted to cry to him to be gone. Anne, in a sudden decision of wrath[11], caught up her sister's walking-cane. With one blow the mole was dead. Frances was startled and shocked. One moment the little wretch was fussing in the heat, and the next it lay like a little bag, inert and black—not a struggle, scarce[12] a quiver[13].

"It is dead!" Frances said breathlessly. Anne took her finger from her mouth, looked at the tiny pinpricks, and said:

"Yes, he is, and I'm glad. They're vicious little nuisances, moles are."

With which her wrath vanished[1]. She picked up the dead animal.

---

1. **in spite of herself** : *bien malgré elle.*

2. **juncture** = point of time, especially one made critical by a concurrence of circumstances.

3. **to wriggle** = to twist to and fro; to writhe.

4. **wrestling**: *la lutte.*

5. **to wave**: *secouer.* cf. : **to wave one's hand**: *faire signe de la main.*

6. **a shaft**: *un rayon.* lit. : *"sa bouche était comme un petit rayon".*

Sans doute que maintenant qu'il est docteur en chimie, il s'est dit qu'il devait se fiancer.

Frances ne put s'empêcher de rire.

– Je ne vois pas le rapport.

– Mais si, bien sûr. Il se prend pour quelqu'un maintenant, c'est pour ça qu'il s'est fiancé. Allez ! Arrête ! Dans le mouchoir !

Mais à cet instant précis la taupe s'était tellement tortillée qu'elle était presque parvenue à se libérer. Elle se débattait désespérément en agitant son petit museau pointu et en écartant ses pattes ridées.

– Veux-tu rentrer ! ordonna Anne, en la poussant du doigt pour la faire obéir. Mais tout à coup, elle retourna la tête et lui donna un coup de dent sur le doigt.

– Oh ! Elle m'a mordue.

Elle la laissa tomber à terre. Tout étourdie, la bestiole se démenait à l'aveuglette. Frances se retint de crier. Elle aurait voulu voir la taupe détaler sur le champ, à la manière d'une souris mais elle restait là à fouiller le sol. Elle avait envie de lui crier de filer. Sous l'effet de la colère, Anne prit une décision soudaine. Elle saisit la canne de Frances et d'un seul coup tua la taupe. Frances en fut interdite et troublée. Un instant plus tôt, le petit animal frétillait au soleil et voilà maintenant qu'il n'était plus qu'un petit tas tout noir et inerte. Il ne s'était pas débattu, à peine un frémissement. Frances en eut le souffle coupé et ne put que dire :

– Elle est morte !

– Oui fit Anne et c'est tant mieux. Ce sont de sales petites bêtes, ces taupes.

Elle avait retiré le doigt de la bouche et regardait les traces pareilles à des piqûres d'épingle que les dents de la taupe avaient laissées.

---

7. **to poke** = **to make a pushing movement with the finger.**
8. **forefinger**: *index.*
9. **a spark** : *une étincelle.*
10. **to grope** : *tripoter.*
11. **wrath** [rrɔθ]: *la colère* Terme plus littéraire que **anger.**
12. **scarce** = **scarcely**
13. **a quiver**: *un frisson.*

"Hasn't it got a beautiful skin," she mused, stroking the fur with her forefinger, then with her cheek.

"Mind," said Frances sharply. "You'll have the blood on your skirt!"

One ruby drop of blood hung on the small snout, ready to fall. Anne shook it off[2] on to some harebells. Frances suddenly became calm; in that moment, grown-up.

"I suppose they have to be killed," she said, and a certain rather dreary indifference succeeded to her grief. The twinkling crab-apples, the glitter of brilliant willows now seemed to her trifling[3], scarcely worth the notice. Something had died in her, so that things lost their poignancy[4]. She was calm, indifference overlying her quiet sadness. Rising, she walked down to the brook[5] course.

"Here, wait for me," cried Anne, coming tumbling[6] after.

Frances stood on the bridge, looking at the red mud trodden[7] into pockets by the feet of cattle. There was not a drain[8] of water left, but everything smelled green, succulent. Why did she care so little for Anne, who was so fond of her? she asked herself. Why did she care so little for anyone? She did not know, but she felt a rather stubborn[9] pride in her isolation and indifference.

They entered a field where stooks[10] of barley stood in rows, the straight, blonde tresses of the corn streaming on to the ground.

---

1. **to vanish** = **to disappear**.
2. **to shake sth off**: *faire tomber en secouant*.
3. **trifling** = **of very small importance**.
4. **poignant** = **profoundly moving, touching**.
5. **brook** = **a small, natural stream of fresh water**.
6. **to tumble** = **to go in a hasty and confused way**.

Sa colère était retombée. Elle ramassa le corps de l'animal, puis se mit à caresser la fourrure d'un air songeur, du doigt puis de la joue.

– Quelle jolie peau !

– Attention, s'écria Frances, tu vas avoir du sang sur ta jupe !

Une goutte, couleur rubis, perlait au bout du museau, prête à tomber. Anne la fit choir dans les campanules. Frances recouvra son calme et se sentit à nouveau adulte.

– Tu as sans doute raison, il faut les tuer.

Son chagrin s'était mué en un indifférence un peu lasse.

L'éclat des pommes sauvages et le scintillement des saules lui semblaient maintenant des trivialités ne valant plus la peine d'être remarquées. Quelque chose s'était cassé en elle et les choses avaient perdu toute faculté de l'émouvoir. Le calme et l'indifférence recouvraient désormais sa tristesse silencieuse. Elle se leva et se dirigea vers le ruisseau.

– Eh, cria sa sœur, attends-moi !

Et elle se précipita à sa pousuite.

Frances était maintenat debout sur le pont. Elle regardait les poches d'argile rouge que les vaches avaient laissées en piétinant dans la boue. On ne pouvait plus y voir la moindre flaque, mais il y avait dans l'air une délicieuse odeur de verdure. Pourquoi, se demandait Frances, éprouvait-elle si peu d'intérêt pour Anne, qui, elle, lui était tellement attachée ? Mais aussi, pourquoi éprouvait-elle si peu d'intérêt pour qui que ce soit ? Elle ne pouvait répondre mais sentait que son isolement et son indifférence lui procuraient une fierté tenace.

Elles pénétrèrent dans un champ garni de rangées de gerbes d'orge. Les tresses blondes, toutes raides, traînaient jusqu'à terre.

---

7. **to tread, trod, trodden = to set down the feet in walking**.

8. **a drain**: *une rigole, un égout*.

9. **stubborn**: *têtu, obstiné*.

10. **a stook = a shock: a small collection of sheaves set up in the fields**.

The stubble was bleached[1] by the intense summer, so that the expanse glared[2] white. The next field was sweet and soft with a second crop[3] of seeds; thin, straggling[4] clover[5] whose little pink knobs[6] rested prettily in the dark green. The scent was faint and sickly[7]. The girls came up in single file, Frances leading.

Near the gate a young man was mowing with the scythe some fodder for the afternoon feed of the cattle. As he saw the girls he left off working and waited in an aimless kind of way. Frances was dressed in white muslin, and she walked with dignity, detached[8] and forgetful[9]. Her lack of agitation, her simple, unheeding advance made him nervous. She had loved the far-off Jimmy for five years, having had in return his half-measures. This man only affected her slightly.

Tom was of medium stature, energetic in build. His smooth, fair-skinned face was burned red, not brown, by the sun, and this ruddiness[10] enhanced his appearance of good humour and easiness[11]. Being a year older than Frances, he would have courted her long ago had she been so inclined. As it was, he had gone his uneventful way amiably, chatting with many a girl, but remaining unattached, free of trouble for the most part. Only he knew he wanted a woman. He hitched[12] his trousers just a trifle self-consciously[13] as the girls approached. Frances was a rare[14], delicate kind of being, whom he realized with a queer and delicious stimulation in his veins. She gave him a slight sense of suffocation[15].

---

1. **somehow**: *en quelque sorte.*
2. **to affect** = *to move the feelings of.*
3. **matter-of-fact**= **down-to-earth**: *not imaginative.*
4. **purposive** = **showing purpose, intention.**
5. **poignant** = **strong in mental appeal.**
6. **undertone** = **an underlying element.**

Et ce matin-là, la voyant avec sa robe blanche, il se sentit encore plus troublé que de coutume. Mais l'homme prosaïque qu'il était ne s'attarda pas sur une émotion provoquée par un désir dont il n'avait à aucun moment clairement pris conscience.

Frances savait ce qu'elle faisait. Tom se déclarerait dès qu'elle lui en donnerait l'occasion. Puisque Jimmy lui était inaccessible, cela lui était presque indifférent. Néanmoins, il lui fallait quelqu'un. Et si elle ne pouvait pas avoir l'élu de son cœur – ce Jimmy, qui n'était finalement qu'un snob – elle se contenterait d'un autre, en l'occurence, Tom. Elle avançait, l'air impertubable.

– Alors, vous êtes de retour ? dit Tom.

Frances nota l'inflexion incertaine de sa voix;

– Non ! lui lança-t-elle d'un ton railleur. Je suis encore à Liverpool.

La familiarité un peu provocante de la réplique le fit s'enflammer.

– Alors, ce n'est pas vous ?

Frances se sentit encouragée à continuer. Elle le regarda droit dans les yeux et pendant cet instant le rejoignit par la pensée.

– Qui suis-je donc, à votre avis ?

Il souleva légèrement son chapeau d'un geste machinal.

Frances appréciait ses bizarreries, son humour, sa candeur et l'expression tardive de sa sensualité.

Anne les interrompit.

– Eh, Tom Smedley, regardez un peu !

– Un long-nez ! Tu l'as trouvé mort ?

– Non, il m'a mordue !

– Ah, ouais ? Alors,ça t'as foutue en rage ?

– Non, protesta Anne. En voilà des façons de parler !

---

7. **to burn** = **to feel strong emotion or passion**.

8. lit. : *"son cœur sauta d'approbation"*

9. **slow** = **taking a long time for growing**.

10. **moldwarp** est le nom de la variété de taupes que l'on trouve communément en Europe.

Somehow[1], this morning, she affected[2] him more than usual. She was dressed in white. He, however, being matter-of-fact[3] in his mind, did not realize. His feeling had never become conscious, purposive[4].

Frances knew what she was about. Tom was ready to love her as soon as she would show him. Now that she could not have Jimmy, she did not poignantly[5] care. Still, she would have something. If she could not have the best—Jimmy, whom she knew to be something of a snob—she would have the second best, Tom. She advanced rather indifferently.

"You are back, then!" said Tom. She marked the touch of uncertainty in his voice.

"No," she laughed, "I'm still in Liverpool," and the undertone[6] of intimacy made him burn[7].

"This isn't you, then?" he asked.

Her heart leapt up in approval[8]. She looked in his eyes, and for a second was with him.

"Why, what do you think?" she laughed.

He lifted his hat from his head with a distracted little gesture. She liked him, his quaint ways, his humour, his ignorance, and his slow[9] masculinity.

"Here, look here, Tom Smedley," broke in Anne.

"A moudiwarp[10]! Did you find it dead?" he asked.

"No, it bit me," said Anne.

"Oh, aye! An' that got your rag out, did it?"

"No, it didn't!" Anne scolded sharply. "Such language!"

1. **to bleach** = to make whiter in colour by exposure to sunlight.

2. **to glare** = to shine with a very harsh, bright, dazzling light.

3. **a crop**: *une récolte*.

4. **to straggle**: *s'étendre* (disséminé le long de).

5. cf. : l'expression **to be like a rabbit in clover** : *être comme un coq en pâte*.

6. **a knob** = a rounded protuberance at the end of sth.

7. **sickly** = nauseating.

8. **detached** = not concerned; aloof.

La chaleur avait blanchi le chaume si bien que le champ rayonnait de blancheur. Le champ d'à côté était recouvert d'un doux tapis de regain. Les petites fleurs de trèfle roses ressortaient joliment sur un fond vert foncé. L'air était rempli de vagues effluves écœurantes. Les deux sœurs marchaient l'une derrière l'autre, Frances en tête.

Près du portail un jeune homme était occupé à faucher un peu de fourrage pour alimenter le bétail l'après-midi. Apercevant les jeunes filles il s'interrompit et resta sur place à bayer. Frances avançait avec élégance dans sa robe de mousseline blanche , indifférente et lointaine. Ce calme, l'absence du moindre signe de reconnaissance suscitèrent chez le jeune homme un sentiment d'inquiétude. Quant à Frances, pendant cinq années elle avait aimé à distance un Jimmy qui ne l'avait pas payé en retour de beaucoup d'empressements. L'homme qu'elle avait devant elle ne la troublait guère.

Tom était de taille moyenne et de carrure athlétique. Il avait le teint clair et son visage n'était pas bronzé par le soleil, mais rougi , ce qui lui donnait un air particulièrement jovial et avenant. Il avait un an de plus que Frances et, si, si cette derniière y avait été disposée, il lui eût fait la cour depuis longtemps. Comme tel n'était pas le cas, il s'était contenté de suivre son petit bonhomme de chemin, toujours aimable avec les jeunes filles, mais se tenant à l'écart des soucis en ne s'engageant point. Mais il était le seul à savoir combien il avait besoin d'une compagne. En voyant approcher les jeunes filles il rajusta son pantalon. Frances avait une personnalité délicate et raffinée.. Il s'en rendait bien compte et cela exerçait sur lui une fascination à la fois étrange et agréable. Il en était presque pétrifié.

---

9. **forgetful**: *distrait*.

10. **ruddy**: *rouge ; vermeil*.

11. **easiness** = **feeling of refreshing tranquillity, absence of tension**.

12. **to hitch** = **to hitch up** = **to raise with jerks; to hike up**.

13. **self-conscious**: *timide ; emprunté*.

14. **rare** = **unusually excellent; admirable**.

15. C'est à dire qu'il en est époustouflé et en a du mal à respirer.

"Oh, what's up wi' it?[1]"

"I can't bear you to talk broad[2]."

"Can't you?"

He glanced at Frances.

"It isn't nice," Frances said. She did not care, really. The vulgar speech jarred[3] on her as a rule; Jimmy was a gentleman. But Tom's manner of speech did not matter to her.

"I like you to talk *nicely*," she added.

"Do you," he replied, tilting[4] his hat, stirred[5].

"And generally you *do*[6], you know," she smiled.

"I s'll have to have a try," he said, rather tensely[7] gallant.

"What?" she asked brightly[8].

"To talk nice[9] to you," he said. Frances coloured furiously, bent her head for a moment, then laughed gaily, as if she liked this clumsy hint.

"Eh now, you mind what you're saying," cried Anne, giving the young man an admonitory[10] pat.

"You wouldn't have to give yon mole many knocks like that," he teased[11], relieved to get on safe ground, rubbing his arm.

"No indeed, it died in one blow," said Frances, with a flippancy[12] that was hateful to her.

"You're not so good at knockin' 'em?" he said, turning to her.

"I don't know, if I'm cross," she said decisively.

"No?" he replied, with alert[13] attentiveness.

"I could," she added, harder, "if it was necessary."

He was slow to feel her difference.

---

1. what's up with it = what's the problem

2. broad (of conversation) = rough; contrified.

3. to jar = 1) to sound discordantly. 2) to have an unpleasant or perturbing effect on one's nerves, feelings...

4. to tilt: *incliner*.

5. stirred = disturbed; troubled.

6. Ici **do** = talk nicely.

7. Tom est tendu car il a peur de ne pas se montrer assez aimable envers Frances.

– Quelles façons ?
– Je n'aime pas qu'on parle vulgairement.
– C'est vrai ?
Il interrogea Frances du regard.
– Elle a raison, dit Frances.
En réalité, ça lui était bien égal. En général, les expressions vulgaires l'agaçaient. Jimmy avait de l'éducation. Mais la façon de parler de Tom ne la dérangeait pas.
– Je préfère que vous ne disiez pas de gros mots, ajouta-t-elle.
– Ah bon.
Et, un peu gêné, il ajusta son chapeau.
– Et d'habitude vous n'en dites pas.
Elle lui sourit.
– Va falloir que je fasse attention.
Il faisait tout pour manifester son empressement.
– A quoi ? dit-elle, guillerette.
– A dire des beaux mots.
Frances se sentit rougir jusqu'à la racine des cheveux. Elle baissa un instant la tête puis éclata de rire, comme si elle avait apprécié cette allusion maladroite.
– Maintenant, faites attention à ce que vous dites, s'écria Anne en donnant une petite tape au jeune homme.
– L'aurait pas fallu donner beaucoup de tapes comme ça à c'te taupe-là, fit Tom en guise de plaisanterie.
Se sentant sur un terrain plus sûr, il faisait mine de se frotter le bras.
– Non, fit Frances, avec une impertinence qu'elle avait en horreur.
– Vous n'êtes pas si habile, hein ?
– Ça dépend, quand je suis en colère...
Son ton décidé retint l'attention de Tom.
– C'est vrai, ça ?
- Bien sûr, confirma Frances avec rudesse. S'il le fallait.
Il lui fallut un certain temps pour percevoir la nuance.

---

8. **bright = animated; lively; cheerful.**

9. Notez l'utilisation fautive que fait Tom de l'adjectif à la place de l'adverbe et qui peut être comprise comme "**to say nice things to you**".

10. **admonitory**: *d'avertissement.*

11. **to tease**: *taquiner.*

12. **flippant = frivolously disrecpectful,lacking in seriousness.**

13. **alert = keen.** → **to be on the alert** : *être en alerte.*

"And don't you consider it *is* necessary?" he asked, with misgiving[1].

"W—ell—is it?" she said, looking at him steadily, coldly.

"I reckon[2] it is," he replied, looking away, but standing stubborn[3].

She laughed quickly.

"But it isn't necessary for *me*," she said, with slight contempt[4].

"Yes, that's quite true," he answered.

She laughed in a shaky[5] fashion.

"I *know* it is," she said; and there was an awkward pause.

"Why, would you *like* me to kill moles then?" she asked tentatively[6], after a while.

"They do us a lot of damage," he said, standing firm on his own ground, angered[7].

"Well, I'll see the next time I come across one," she promised, defiantly. Their eyes met, and she sank[8] before him, her pride troubled. He felt uneasy and triumphant and baffled[9], as if fate had gripped[10] him. She smiled as she departed.

"Well," said Anne, as the sisters went through the wheat stubble; "I don't know what you two's been jawing[11] about, I'm sure."

"Don't you?" laughed Frances significantly.

"No, I don't. But, at any rate, Tom Smedley's a good deal better to my thinking than Jimmy, so there—and nicer."

"Perhaps he is," said Frances coldly.

---

1. **misgiving** = a feeling of doubt or apprehension.
2. **reckon** a ici le sens de '**think, suppose**'.
3. **stubborn** = fixed in purpose or opinion; resolute.
4. **contempt**: *le mépris*.
5. C'est à dire, littéralement, que le rire la secoue.
6. **tentative** = done as a trial, an experiment.

Puis d'un ton où perçait une pointe d'appréhension :

– Et d'après vous ce n'est pas nécessaire ?

Elle le regarda bien en face en restant impassible.

– Et d'après vous ?

Il détourna le regard mais résolu à montrer qu'il avait un point de vue, il risqua :

– D'après moi, oui. C'est nécessaire.

Elle eut un petit rire.

– Mais mon avis à moi c'est que ce n'est pas nécessaire, fit-elle d'un ton un peu condescendant.

– C'est vrai, concéda-t-il.

– Je sais que c'est vrai, dit-elle en ponctuant ses paroles d'un petit rire nerveux.

Puis après un silence embarrassant, elle entreprit de lui demander :

– Et alors, pourquoi voudriez-vous que je tue des taupes ?

– Ce sont des bêtes qui nous causent beaucoup de dégâts, insista-t-il d'un ton irrité.

– Bon. Je verrai bien la prochaine fois qu'il m'arrive d'en trouver une.

Ses paroles avaient un accent de défi. Mais leurs regards se croisèrent et elle capitula devant lui, perdant de sa superbe. Quant à lui, il était tout à la fois gêné, exalté et perplexe. Il avait l'impression que le destin l'avait pris en main.

Frances le quitta, souriante.

– Eh bien ! lâcha Anne, tandis que les deux sœurs s'éloignaient du champ moissonné, je n'ai rien compris à votre papotage, ça c'est sûr !

– C'est vrai ? dit Frances dans un éclat de rire.

– Non, rien du tout. Mais en tout cas, je trouve que Tom Smedley est bien mieux que Jimmy – et aussi bien plus gentil.

– C'est possible, fit Frances d'un ton détaché.

---

7. **to anger**: *mettre en colère.*

8. **to sink, sank, sunk** : *sombrer; baisser pavillon.*

9. **to baffle** = **to confuse, bewilder or perplex**.

10. **to grip** : *agripper.*

11. **to jaw (slang)** = **to talk; chat**.

And the next day, after a secret, persistent[1] hunt, she found another mole playing in the heat[2]. She killed it, and in the evening, when Tom came to the gate to smoke his pipe after supper, she took him the dead creature.

"Here you are then!" she said.

"Did you catch it?" he replied, taking the velvet corpse[3] into his fingers and examining it minutely[4]. This was to hide his trepidation[5].

"Did you think I couldn't?" she asked, her face very near his.

"Nay[6], I didn't know."

She laughed in his face, a strange little laugh that caught her breath, all agitation, and tears, and recklessness[7] of desire. He looked frightened and upset. She put her hand to his arm.

"Shall you go out wi' me?" he asked, in a difficult, troubled tone.

She turned her face away, with a shaky laugh. The blood came up in him, strong, overmastering[8]. He resisted it. But it drove[9] him down, and he was carried away. Seeing the winsome[10], frail nape of her neck, fierce[11] love came upon him for her, and tenderness.

"We s'll 'ave[12] to tell your mother," he said. And he stood, suffering, resisting his passion for her.

"Yes," she replied, in a dead voice. But there was a thrill[13] of pleasure in this death.

---

1. **persistent** = lasting.

2. **heat**: *chaleur*.

3. **corpse**: *cadavre*.

4. **minute** [mɑɪˈnjuːt]: (adj.) = concerned with even the smallest details.

5. **trepidation** = agitation ; perturbation.

6. **nay** (archaic) = no.

7. **reckless** = utterly unconcerned about the consequences of some action.

Le lendemain, après avoir cherché en cachette pendant un bon moment, elle finit par trouver une autre taupe qui s'ébattait au soleil. Elle la tua. Le soir, lorsque Tom s'approcha du portail pour fumer sa pipe après souper, elle vint lui porter la bestiole morte.

– Voilà pour vous ! annonça-t-elle.

– C'est vous qui l'avez attrapée ? demanda-t-il, en prenant dans la main le corps soyeux de l'animal mort qu'il examina attentivement.

C'était pour lui une manière de dissimuler son émoi.

– Vous avez cru que je n'en étais pas capable ?

Frances avait rapproché son visage de celui de Tom.

– Mais non... c'est que... je ne savais pas.

Elle lui rit au visage, prise d'un petit rire étrange qui la secouait jusqu'aux larmes, haletante et aveuglée par le désir. Tom semblait effrayé et décontenancé. Elle posa la main sur son bras.

– Vous voulez sortir avec moi ? demanda-t-il à grand-d'peine et d'une voix incertaine.

Elle détourna le visage, toujours agitée d'un rire nerveux. Tom sentit monter en lui un flux de sang irrésistible. Il tenta de réprimer son désir mais celui-ci l'emporta et le submergea. En voyant sa nuque gracieuse et délicate, il eut le cœur chaviré d'amour et de tendresse.

– Faudra qu'on en parle à votre mère, dit-il.

Et il ne bougeait pas, bouleversé et essayant de résister à la puissance de sa passion.

– Oui, dit-elle d'une voix blanche. Mais il y avait dans cette blancheur un frémissement de plaisir.

---

8. **to overmaster** = **to overpower** = **to gain mastery over**.
9. **to drive sb down** = **to overpower**.
10. **winsome** = **sweetly or innocently charming**.
11. **fierce** = **intense**.
12. = **we shall have to**.
13. cf. : **a thriller**: livre ou film qui donne des frissons/ sensations fortes.

Glossaire

GLOSSAIRE ANGLAIS-FRANÇAIS
Les traductions données ici correspondent
au sens contextuel du mot dans chaque nouvelle.

DICKENS – THE SIGNALMAN
acknowledge (to) 26 *reconnaître*
apprise (to) 48 *informer*
attend lectures (to) 24 *assister aux cours*
avert (to) 44 *détourner*
bend (bent, bent) to 30 *se courber*
betray (to) 36 *trahir*
brake 38 *frein*
call out out (to) 28 *pousser un cri*
carriage 38 *wagon*
claim (to) 24 *déclarer*
clammy 16 *moite*
conceal (to) 17 *cacher*
curve 52 *courbe, virage*
cutting (a) 14 *une tranchée*
daunt (to) 20 *décourager*
dial 24 *cadran*
dint of (by) 16 *à force de*
discharge of one's duties 26 *accomplissement de son devoir*
dismal 18 *lugubre*
display (to) 24 *exposer*
dreadful 52 *affreux*
dungeon 18 *cachot*
fits and starts 38 *à-coups (des)*

Glossaire

forbidding 18 *inhospitalier, menaçant*
forefinger 38 *index*
foreshortened 14 *raccourci*
furl (to) 14 *rouler*
ghost 36 *fantôme*
gloomy 18 *lugubre*
sallow 18 *(ici) cireux*
saturnine 20 *ténébreux*
scarcely 24 *à peine*
shudder 34 *frisson*
signal-man 48 *signaleur*
skim away (to) 16 *(ici) se dissiper*
speculate (to) 20 *conjecturer*
stroll 48 *promenade*
thoroughly 17 *tout à fait*
thrice 38 *trois fois*
trickle (to) 32 *couler goutte à goutte*
unwilling 40 *réticent*
wail 38 *gémissement*
whistle 52 *sifflet*
wipe (to) 44 *essuyer*
wise (in such) 24 *de cette manière*
workhouse 24 *hospice*
wounded 34 *blessé*
yonder 18 *là*
glow 14 *rougeoiement*
hold good (to) 22 *(ici) être valable*
hollow 36 *creux*
impart (to) 26 *faire part de*
inn 30 *auberge*

Glossaire

intently 20 *(ici) intensément*
jagged 18 *découpé*
mislead (to) 40 *tromper*
mourning 36 *deuil*
needle 24 *aiguille*
notch (to) 16 *denteler,encocher*
oozy 16 *suintant*
overcome (to) 48 *surmonter*
overlook (to) 50 *(ici) surveiller*
peruse (to) 20 *lire attentivement*
readiness 22 *empressement,bonne volonté*
recall (to) 26 *se rappeler*
rehearse (to) 48 *répéter*
rejoin (to) 20 *répliquer*
resume (to) 18 *reprendre*
rivet (to) 18 *river, clouer*

KIPLING – THE MIRACLE OF PURUN BHAGAT
ape 80 *singe*
appoint (to) 64 *nommer*
appointment 64 *nomination*
apricot 74 *abricot*
bare 68 *nu*
bear 70 *ours*
beggar 66 *mendiant*
behold (to) 98 *contempler*
blacksmith 94 *forgeron*
blanket 88 *couverture*
blaze 62 *éclat*
212

Glossaire

bow (to) 72 *se courber*
breast 62 *poitrine*
buckwheat 76 *blé noir*
camel 68 *chameau*
cedar 72 *cèdre*
clatter 68 *cliquetis*
cloak 64 *cape*
close-mouthed 60 *silencieux*
cluster 96 *groupe*
croon (to) 80 *fredonner*
crutch 72 *béquille*
curl up (to) 66 *se recroqueviller*
deer 80 *cerf*
drowsy 68 *somnolent*
dwindle (to) 74 *diminuer*
eagle 74 *aigle*
endow (to) *doter*
fern 88 *fougère*
grief 78 *chagrin*
scarp 98 *escarpement*
scatter (to) 74 *éparpiller*
scrub 74 *(ici) broussailles*
seek (sought,sought) 70 *chercher*
seldom 66 *rarement*
shrine 72 *sanctuaire*
slope 68 *pente*
smallpox 72 *petite vérole*
snort (to) 94 *s'ébrouer*
soothe (to) 82 *adoucir*
stag 82 *cerf*

Glossaire

stalk (to) 84 *marcher avec raideur*
stride(to) (strode,stridden) 90 *marcher à grands pas*
strive (to) (strove,striven) 86 *s'efforcer*
stumble (to) 94 *trébucher*
swift 92 *rapide*
swoop (to) 74 *descendre en piqué*
tarry (to) *demeurer*
therefore 98 *par conséquent*
threshing-floor 88 *aire de battage*
tiny 74 *minuscule*
tremendous 76 *immense*
trough 66 *creux*
trudge (to) 78 *marcher péniblement*
trunk 70 *tronc*
tutor (to) 60 *donner des cours*
twirl (to) 92 *tortiller*
unless 90 *à moins que*
velvet 82 *velours*
walnut 72 *noyer*
grunt (to) 70 *grogner*
harmless 80 *inoffensif*
heel 98 *talon*
hiss (to) 90 *siffler*
honey 76 *miel*
huddle (to) 80 *se blottir*
implement 60 *instrument*
Indian corn 76 *maïs*
journey 70 *voyage*
kneel (to) 90 *être à genoux*
knighthood 64 *ordre de chevalier*

Glossaire

landslip 94 *glissement de terrain*

leap (to) 80 *sauter*

limb 76 *membre*

lionize (to) 66 *aduler*

moody 82 *lunatique*

moose 82 *élan (animal)*

nostril 90 *narine*

nuzzle (to) 82 *fouiner*

outline 84 *silhouette*

pant (to) 96 *haleter*

pear 72 *poire*

pheasant 70 *faisan*

pluck (to) 94 *tirer, pincer*

preserve 60 *réserve*

quiver (to) 96 *trembler*

resign (to) 64 *démissionner*

rest (to) 72 *se reposer*

roar 72 *rugissement*

root (to) 70 *fouiller avec le groin*

warn (to) 96 *avertir*

wayfarer 66 *voyageur*

weapon 64 *arme*

whisper (to) 96 *murmurer*

withers 92 *le garrot*

wood-cutter 70 *bûcheron*

worship (to) 74 *vouer un culte à*

wrap (to) 86 *envelopper*

yearly 60 *annuel*

Glossaire

CONRAD – THE LAGOON

abode 148 *demeure*

bank 106 *(ici) berge*

bunch 106 *bouquet*

cast out (to) 132 *chasser*

chill 146 *frais*

clearing 106 *claitière*

cling (clung,clung)to *s'accrocher*

composure 124 *calme*

conflagration 118 *incendie*

creepers 110 *lianes*

dazzle (to) 106 *éblouir*

dazzlingly 146 *de manière éblouissante*

deceptive 144 *trompeur*

demeanour 114 *comportement*

dip (to) 134 *tremper*

disbelief 112 *incrédulité*

ditch 110 *fossé*

dwell (to) 112 *habiter*

eddy (to) 144 *tourbillonner*

entice (to) 108 *attirer*

entreat (to) 132 *enjoindre*

erase (to) 142 *effacer*

expanse 108 *étendue*

faithfulness 126 *fidélité*

fitful 146 *intermittent*

fleeting 122 *fugace*

fling (flung,flung) to *jeter violemment*

froth (to) *écumer*

glade 142 *clairière*

216

Glossaire

gleam 118 *lueur*

glide (to) 114 *glisser*

glimmer 132 *lueur*

glisten (to) 110 *briller*

glitter (to) 116 *briller*

gnawing 122 *tenaillant*

gurgle (to) 108 *gargouiller*

hold good (to) 140 *tenir bon*

jeer (to) 132 *railler*

lap (to) 138 *clapoter*

lie (lay,lain) to 116 *être étendu*

loiter (to) 128 *traîner*

longing 128 *attente*

marshy 110 *marécageux*

might 130 *force*

mist 142 *brume*

mute 122 *muet*

narrow 140 *étroit*

ominous 116 *de mauvais présage*

ooze (to) 110 *suinter*

paddle 106 *pagaie*

propitiate (to) 112 *concilier*

prow 108 *proue*

rattle (to) 114 *(ici) s'entrechoquer*

recede (to) 110 *reculer*

reed 118 *roseau*

rejoice (to) 126 *se réjouir*

righteous 112 *vertueux*

ripple 150 *ondulation*

rusty 126 *rouillé*

Glossaire

shriek 142 *hurlement*
slanting 108 *incliné*
soar (to) 110 *monter en flèche*
sorrow 148 *tristesse*
sparkle (to) 148 *étinceler*
squat down (to) 120 *s'accroupir*
steersman 106 *barreur*
stern 106 *poupe*
stillness 106 *immobilité*
strike (struck,struck) to 150 *frapper*
swallow (to) 130 *avaler*
sway (to) 148 *osciller*
swirl 106 *tourbillon*
twig 110 *petite branche*
twinkle (to) 144 *scintillement*
unstirring 122 *immobile*
vanish (to) 146 *disparaître*
weird 112 *étrange*
whirl 144 *tourbillon*
withstand (to) 132 *défier*
wreath 146 *guirlande*
writhe (to) 110 *se tordre*
yell 142 *hurlement*

SAKI – TOBERMORY
accomplishment 172 *talent*
achievement 158 *réussite*
acquaintance 158 *connaissance*
beset (to) 172 *assaillir*

Glossaire

blameless 170 *irréprochable*
blankness 156 *(ici) air mort*
blunder 166 *gaffe*
claim (to) 158 *prétendre*
corpse 178 *cadavre*
crestfallen 174 *déconfit*
dash (to) 162 *se précipiter*
deserve (to) 178 *mériter*
discomfited 170 *déconcerté*
dismay 168 *consternation*
doze (to) 162 *somnoler*
dull 170 *ennuyeux*
ecstatically 174 *avec extase*
endure (to) 170 *endurer*
entertainment 156 *distraction*
entreaty 172 *supplication*
experiment 160 *expérience*
expostulate (to) 172 *protester*
feral 158 *sauvage*
forestall (to) 176 *désamorcer*
French window 170 *porte-fenêtre*
genuine 162 *authentique*
gossip (to) 168 *cancaner*
heartily 168 *de bon coeur*
inconvenient 166 *importun*
infuse (to) 172 *insuffler*
upbraiding 172 *réprimandes*
whence 168 *d'où*
witness (to) 160 *être témoin de*
inquiry 172 *demande de renseignements*

Glossaire

kennel 172 *chenil*
lamely 164 *(ici) sans conviction*
listless 174 *sans énergie*
liver 168 *foie*
outspoken 168 *franc*
outstanding 158 *remarquable*
pantry 176 *office,cellier*
partridge 156 *perdrix*
piecemeal 160 *petit à petit*
puss 172 *minou*
rectory 178 *presbytère*
relieve (to) 178 *soulager*
reward 158 *récompense*
ruck 158 *foule*
scraps 172 *(ici) restes*
shiver 164 *frisson*
shred 164 *lambeau*
shrubbery 170 *taillis*
sideboard 176 *buffet*
sore 172 *(ici) vexé*
stable 172 *écurie*
stupendous 162 *prodigieux*
subside (to) 158 *s'affaisser*
tease (to) 178 *agacer*
throat 178 *gorge*
triteness 156 *banalité*
unconcern 162 *indifférence*
unlikely 172 *improbable*
unsteadily 164 *en chancelant*

Glossaire

D H LAWRENCE – SECOND BEST

admonitory 204 *d'avertissement*

awkward 206 *inconfortable*

baffled 206 *déconcerté*

barley 190 *orge*

bleached 200 *blanchi*

brim (to) 184 *déborder*

brook 198 *ruisseau*

buxom 184 *plantureuse*

clumsily 194 *maladroitement*

complexion 184 *teint*

contempt 206 *mépris*

dazed 196 *stupéfait*

eerie 192 *étrange*

elderberry 190 *baie de sureau*

engaged 194 *fiancé*

enhance (to) 198 *souligner*

fallow 190 *jachère*

fidget (to) 190 *gigoter*

flippancy 204 *désinvolture*

frantic 192 *(ici) désespéré*

frown (to) 192 *froncer les sourcils*

glance (to) 204 *jeter un coup d'oeil*

gorse 188 *ajoncs*

grope (to) 194 *tatonner*

harebell 198 *campanule*

haze 192 *brume*

hazel 188 *noisette*

hectic 184 *mouvementé*

jar (to) 204 *détonner*

Glossaire

kernel 188 *(ici) amande*
loop (to) 184 *former une boucle*
misgiving 206 *inquiétude*
mole 194 *taupe*
muse (to) 198 *songer*
nape 208 *nuque*
nestle (to) 186 *se blottir*
oak 186 *chêne*
obtuseness 184 *stupidité*
pest 190 *animal nuisible*
plump down (to) 184 *s'affaler*
poignancy 198 *caractère poignant*
primrose 190 *primevère*
purposive 202 *calculé*
recklessness 208 *imprudence*
reckon up (to) 184 *calculer*
ruddiness 200 *teint rougeaud*
scold (to) 202 *réprimander*
scythe 200 *faux*
sere 188 *desséché*
sniff (to) 188 *renifler*
snout 192 *museau*
somehow 202 *pour une raison ou une autre*
stealthily 192 *furtivement*
stroke (to) 198 *caresser*
stubborn 198 *têtu*
tame 188 *apprivoisé*
tilt (to) 204 *(ici) incliner*
turf 184 *herbe*
undertone 202 *sous-entendu*

Glossaire

unheeding 200 *insouciant*
unvexed 186 *sans souci*
upset 208 *bouleversé*
vagaries 184 *caprices*
wheat 190 *blé*
whimsical 184 *fantasque*
willow 186 *saule*
wrath 196 *colère*
wrestle (to) 192 *lutter*

Composition DÉCLINAISONS

Impression réalisée sur Presse Offset par

C P I
Brodard & Taupin

46974 – La Flèche (Sarthe), le 21-04-2008
Dépôt légal : mai 2008

POCKET – 12, avenue d'Italie - 75627 Paris cedex 13

Imprimé en France